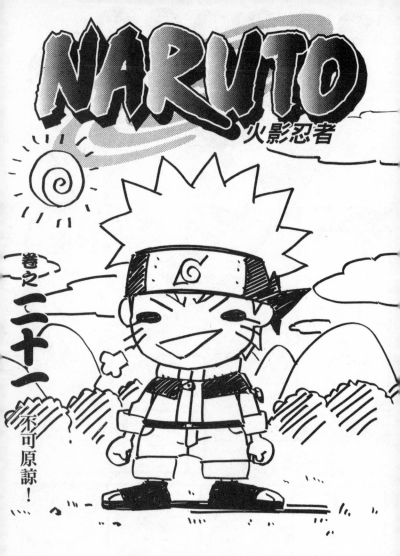

主要登場人物

宇智波佐助

漩渦鳴人

春野櫻

奈良鹿丸

犬塚牙&赤丸

秋道丁次

日向寧次

音之忍者四人組

左近　　次郎坊　　多由也　　鬼童丸

大蛇丸

自來也

李洛克

旗木卡卡西

綱手

原本是木葉忍者村忍者學校中的問題學生鳴人，終於與佐助、小櫻一起成為忍者了。

卡卡西推薦鳴人等人前去參加中忍選拔考試。鳴人一行人，在第二場考試的考場「死亡森林」裡，遭到神秘忍者大蛇丸的襲擊。

大蛇丸在佐助身上留下咒印之後就消失了。

鳴人與佐助通過「第三場考試」的預選，進入了正式選拔。就在佐助與我愛羅的比賽正在進行時，大蛇丸等人開始進行「毀滅木葉行動」。而最後「毀滅木葉行動」以火影失去自己的性命收場。

與大蛇丸之戰鬥之後，以兩敗俱傷收場，綱手成為第五代火影。她立刻前去治療佐助與小李。但是音之忍者四人組卻突然襲擊才大病初癒的佐助！音之忍者四人組對佐助誇示大蛇丸的力量，並且邀請佐助加入他們，

但是……

NARUTO

―火影忍者―

卷之二十一

不可原諒！

目 次

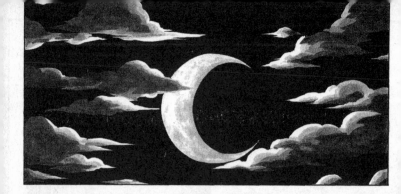

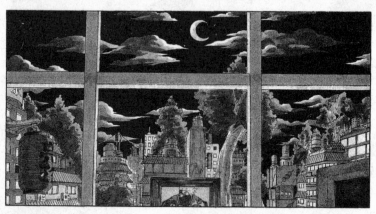

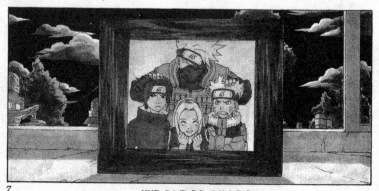

🐾181：戰鬥的開始…！

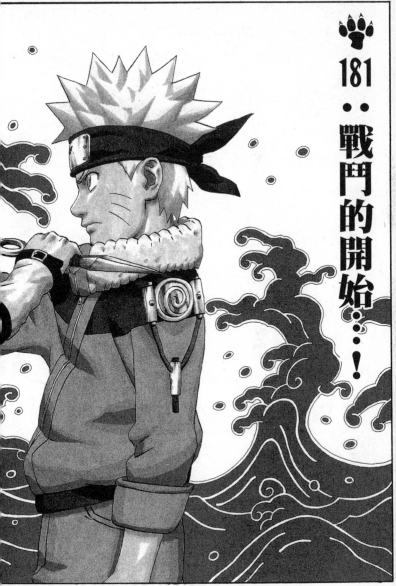

181：戰鬥的開始…！

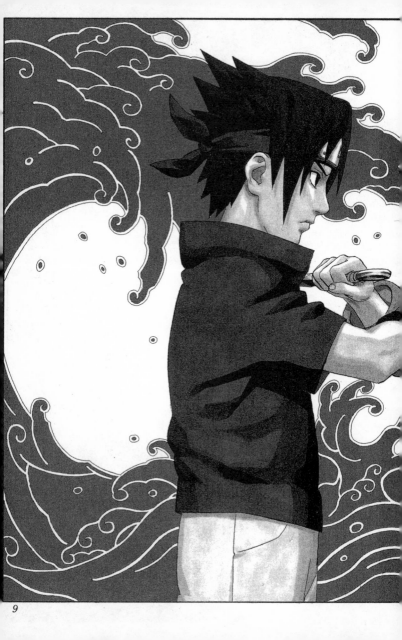

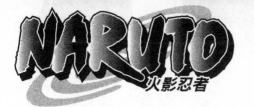

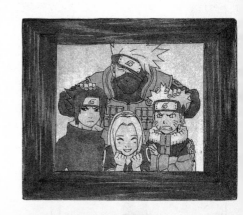

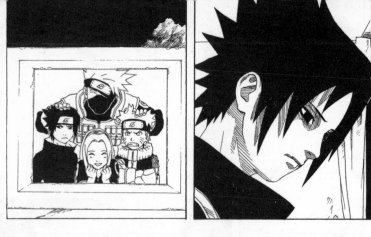

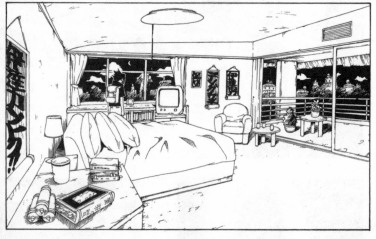

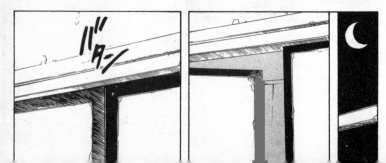

バタン

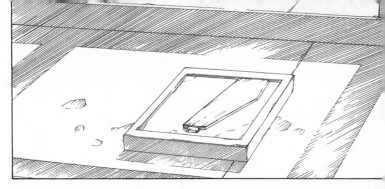

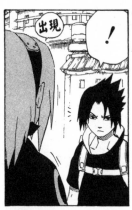

出現

！

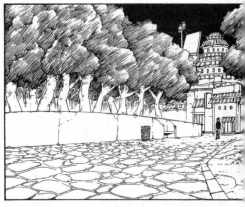

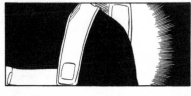

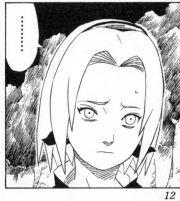

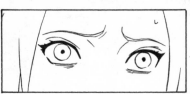

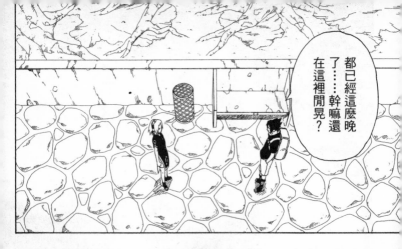

都已經這麼晚了……幹嘛還在這裡閒晃？

因為這裡是離開村子時的必經之路…

我經常都在這裡…

噠 噠

噠

回家睡覺吧。

噠 噠 流

噠

……

噠 噠

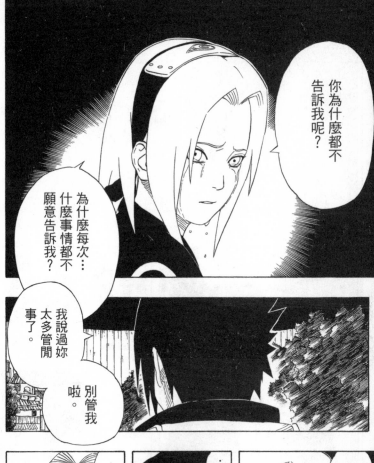

你為什麼都不告訴我呢？

為什麼每次…什麼事情都不願意告訴我？

我說過妳太多管閒事了。

別管我啦。

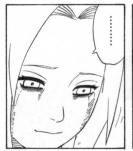

……

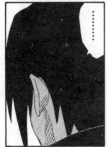

……

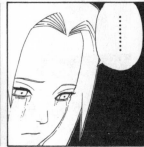

……

佐助⋯⋯
你一直都很
討厭我呢。

⋯⋯你還
記得嗎？

⋯⋯⋯⋯

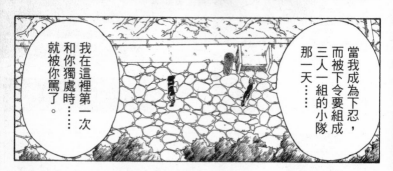

我在這裡第一次
和你獨處時⋯⋯
就被你罵了。

當我成為下忍，
而被下令要組成
三人一組的小隊
那一天⋯⋯

孤獨⋯⋯

不是被父母罵
那種難過的程
度比得上的！

咦？

為⋯⋯為什
麼你突然這
樣說⋯⋯

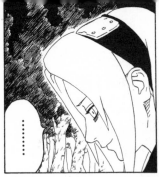

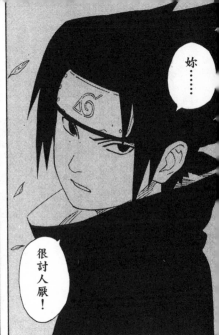

妳
……

很討人厭！

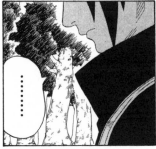

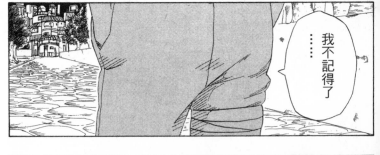

我不記得了
……

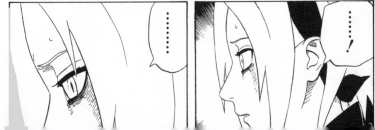

你和我⋯⋯
還有鳴人和
卡卡西老師

但是，
從那一天
開始⋯⋯

⋯⋯⋯⋯

那已經是
很久以前
的事了。

哈哈⋯⋯
說得也是。

過程雖然
真的很辛
苦，

但最重要的
就是⋯⋯

我們四人一
起去執行過
許多任務。

⋯⋯⋯⋯

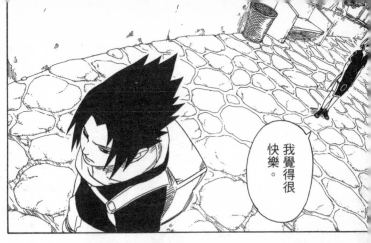

我覺得很快樂。

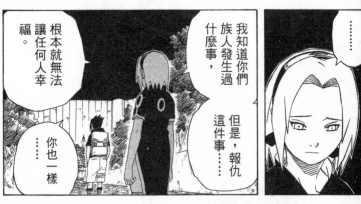

我知道你們族人發生過什麼事，但是，報仇這件事……根本就無法讓任何人幸福。

你也一樣……

.....

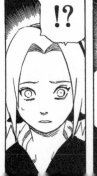

!?

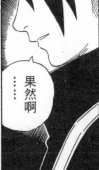

果然啊

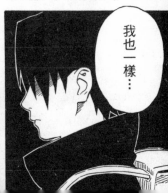

我也一樣……

我也曾經認為那就是我自己該走的路……

我們四人一起努力到現在…

我和你們不一樣…

我和你們走的路和你們完全不一樣。

我就是為了這件事而活。

雖然如此，但我的心還是決定要走上報仇這條路。

所以我無法變得和妳或鳴人一樣。

佐助，你又要獨自走上孤獨這條路了嗎？

那時候你不是告訴我孤獨有多麼痛苦嗎？現在，我非常了解那種感覺！

我有家人，也有朋友…

但是如果我失去了你……

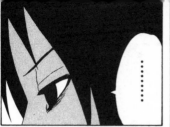

……

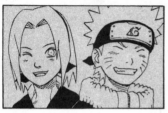

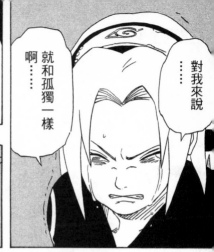

對我來說

……

啊……

就和孤獨一樣

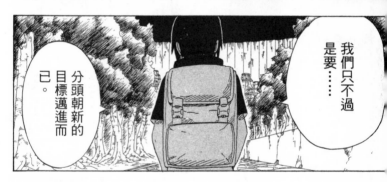

我們只不過是要……

分頭朝新的目標邁進而已。

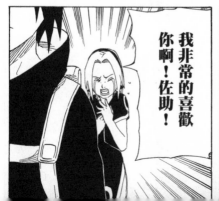

我非常的喜歡你啊！佐助！

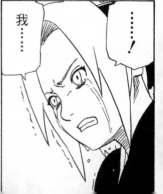

我……

……！

為了你……
任何事情我都願意去做！

所以……

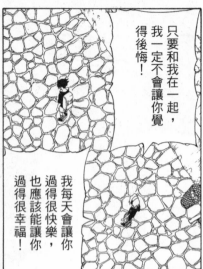

只要和我在一起，我一定不會讓你覺得後悔！

我每天會讓你過得很快樂，也應該能讓你過得很幸福！

求求你！請你留在這裡！

我一定會想辦法幫你的……

嗚……

我也可以幫你報仇！

……

嗚……

嗚……

如果你不願意留在這裡，那就帶我一起走……

所以……你請……和我一起……留在這裡

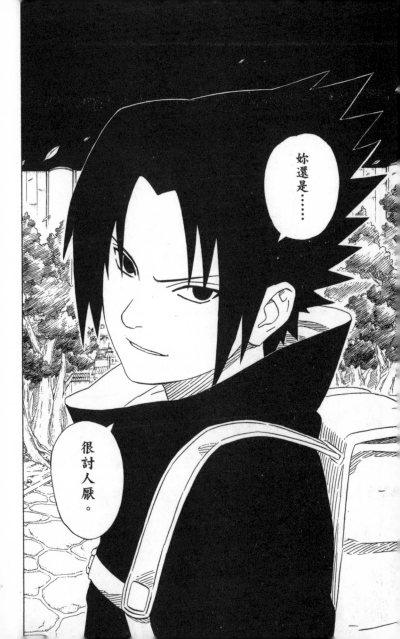

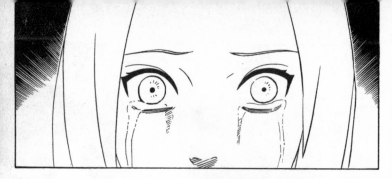

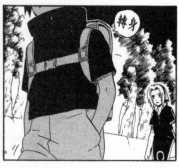
轉身

別走啊！

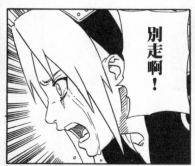

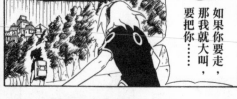
如果你要走，那我就大叫，要把你⋯⋯

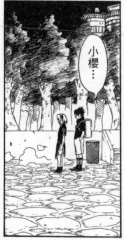
小櫻⋯

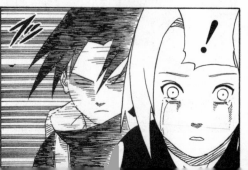

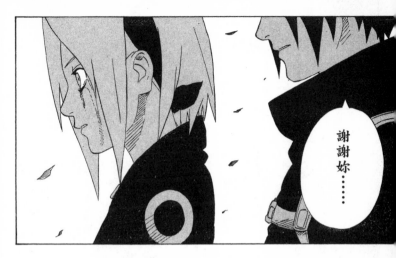

謝謝妳……

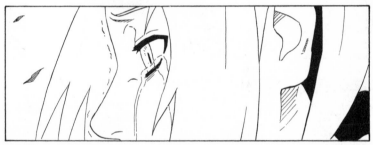

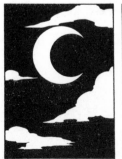

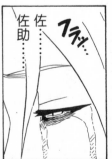

佐助……佐助……

フラッ…

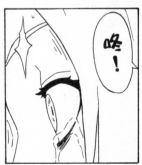

咚！

24

我們決定⋯⋯在你下定決心要離開村子時，就讓你成為我們的首領。

所以⋯⋯請你原諒我們之前的無禮。

⋯⋯這是怎麼一回事？

佐助⋯⋯

你呢⋯⋯

我們正在等

哼⋯⋯那不重要！走吧⋯⋯

開始吧！

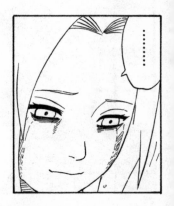

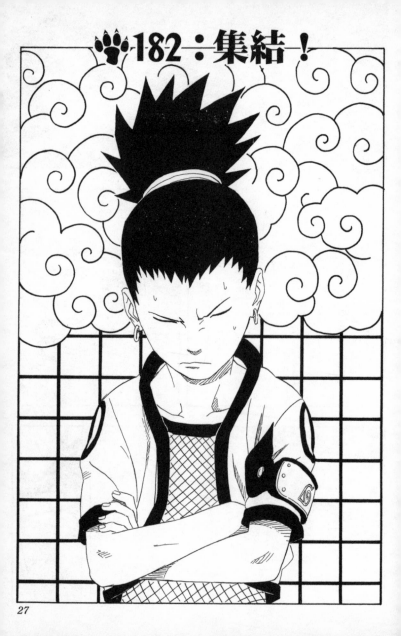

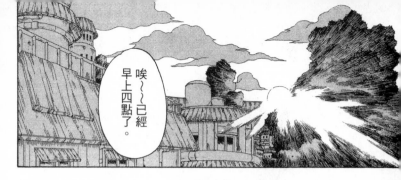

唉～～已經早上四點了。

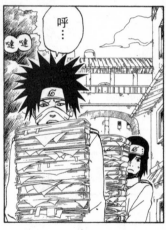

呼…

哇哇

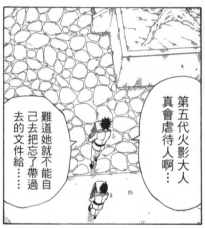

第五代火影大人真會虐待人啊…

難道她就不能自己去把忘了帶過去的文件給……

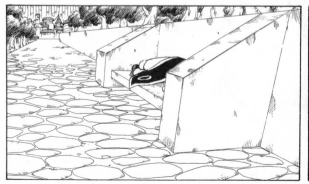

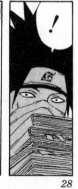

！

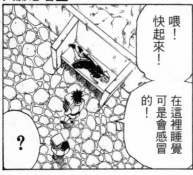

喂！
快起來！

在這裡睡覺
可是會感冒
的！

？

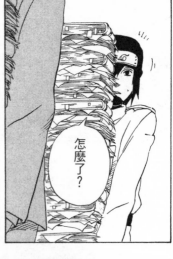

怎麼了？

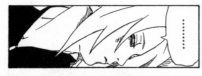

……

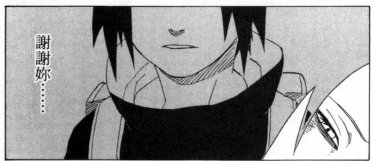

謝謝妳……

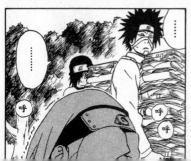

……

……

呼

呼

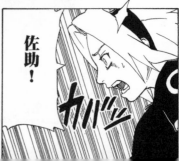

佐助！

カバッ

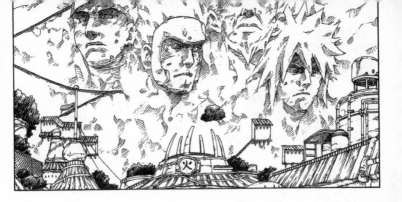

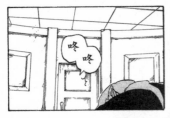

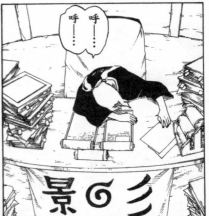

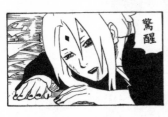

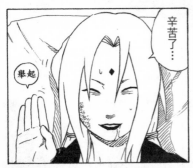

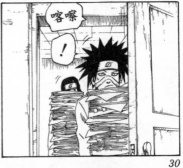

對了，火影
大人……

……
我們要向您
報告一件事

啊——

第五代火影大
人！您剛剛在
睡覺吧！

您叫我們去拿文
件，自己卻留在
這裡睡覺！

……！

什麼事？

啾啾

啾啾

是的…

根據春野
櫻的
描述…這件事
應該是真的。

這是真的
嗎？

你說什麼？

沒想到…

他已經開始行動了……

我想得到我想要的東西，順便完全毀滅掉木葉。

原來他想得到的就是宇智波一族的能力…真是變態。

…………

…………

出雲、小鐵…

我要你們去找一個人。

呵～～……

所以沒時間陪你做早晨的修行！

今天你爸爸也要去執行任務啊！

你也趕快吃吧！

是誰這麼早就來按門鈴啊？

叮咚——

！

一大早就罵人……真是煩死今……

回答一次就行了！

好啦好啦……

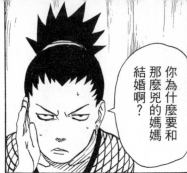

你為什麼要和那麼兇的媽媽結婚啊？

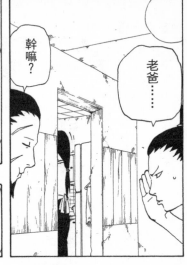

幹嘛？

老爸……

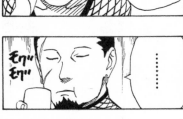

……

モグ
モグ

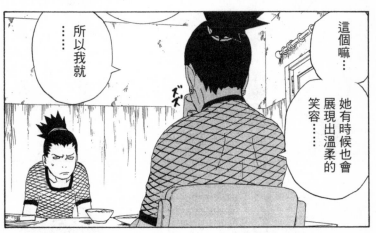

所以我就

這個嘛……

她有時候也會展現出溫柔的笑容……

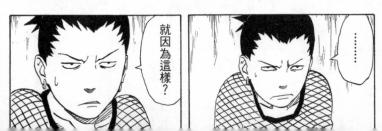

就因為這樣？

……

出現

鹿丸！
第五代火影大人的使者來找你囉。

……為什麼？

離開村子？

昨天深夜宇智波佐助離開村子了……

目前可以確定……他應該是前往音忍者村。

因為他受到大蛇丸的邀請！

等⋯等⋯

⋯⋯⋯⋯

首先⋯⋯你叫鹿丸對吧？

我要指派給你第一個任務。

這理由根本不重要，總而言之⋯時間不夠了。

為什麼那種危險的傢伙要邀請佐助呢？

等一下啦！

您要我去把佐助帶回來嗎？

如果沒有敵人，這件事就比較容易……

沒錯……

不過這個任務不只是時間緊迫，而且可能會非常危險。

什麼？

這種事其實有前例，所以並不是第一次。

可能是大蛇丸的部下跑來慫恿佐助離開村子的。

……

事……事情變得很麻煩了……

所以才對他刮目相看……

我們同一期的同學之中最厲害的，

那傢伙是

我一直以為……

不過……我……

請您下令只以上忍與中忍來構成一支四人小隊。

那麼這個任務……

你應該知道……阿斯瑪、卡卡西還有你老爸等人都一樣……

現在村子裡只留下最低限度內的上忍，其他上忍全都外出執行任務了。

噯

為……為什麼？

！

……………

這可不行

……………

接下來的三十分鐘以內……

……………

你去找你認為最優秀的下忍，然後就從村子出發吧！

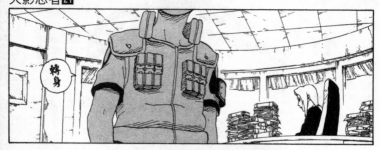

轉身

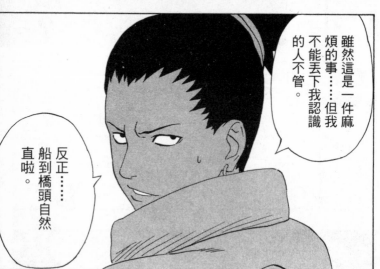

雖然這是一件麻煩的事⋯⋯但我不能丟下我認識的人不管。

反正⋯⋯船到橋頭自然直啦。

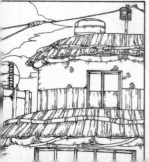

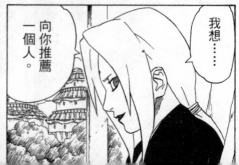

向你推薦一個人。

我想⋯⋯

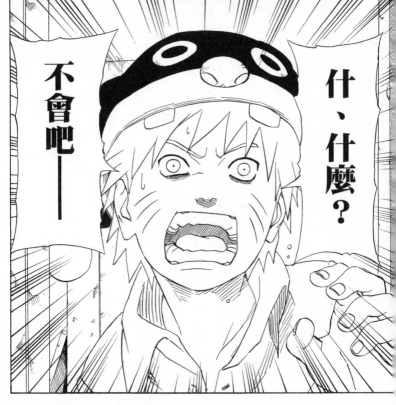

什、什麼？

不會吧──

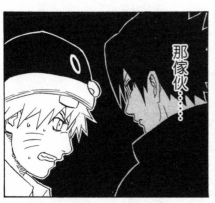

那傢伙�⋯⋯

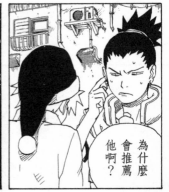

為什麼會推薦他啊？

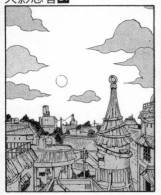

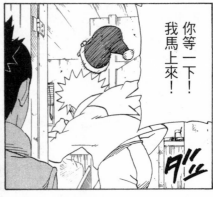

你等一下！
我馬上來！

タッ

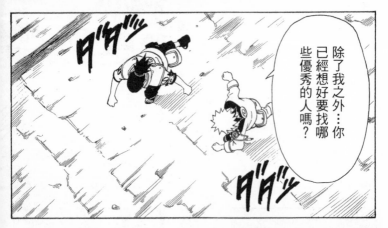

ダッダッ

ダッダッ

除了我之外…你
已經想好要找哪
些優秀的人嗎？

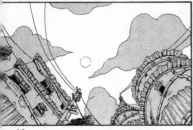

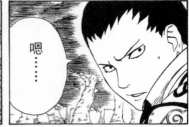

嗯……

你馬上去準備，十分鐘後在正門那裡見面。

丁次，拜託你了。

……

モグモグ

你不是說要找優秀的人嗎？

那為什麼不找志乃啊！

我和丁次搭檔很久了……

所以他最容易和我配合。

42

志乃目前和他老爸一起去執行任務，所以不在村子裡。

汪！汪！

早起散步果然是對的。

我也可以向你們推薦一個人。

我聽到你們說的事了，看來你們碰到困難了。

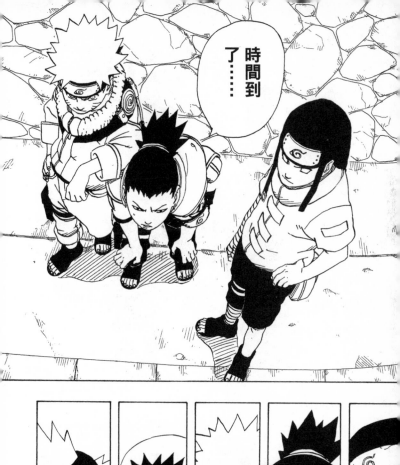

時間到了……

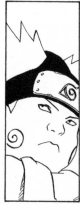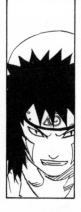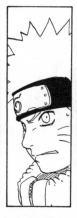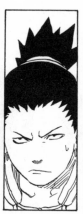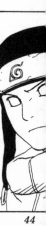

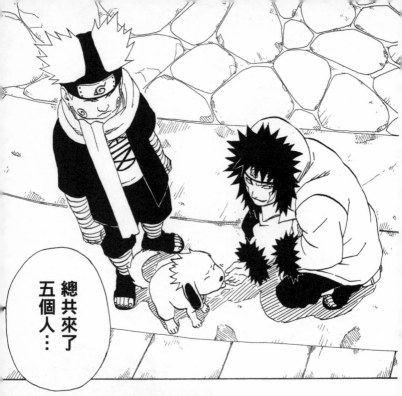

總共來了五個人⋯

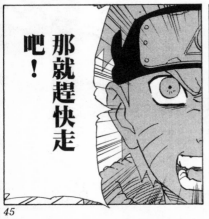

那就趕快走吧！

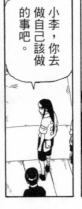

小李，你去做自己該做的事吧。

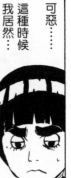

可惡⋯⋯這種時候我居然⋯

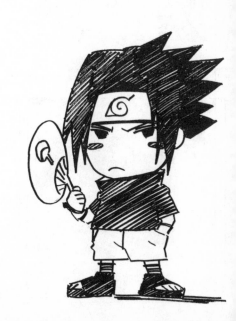

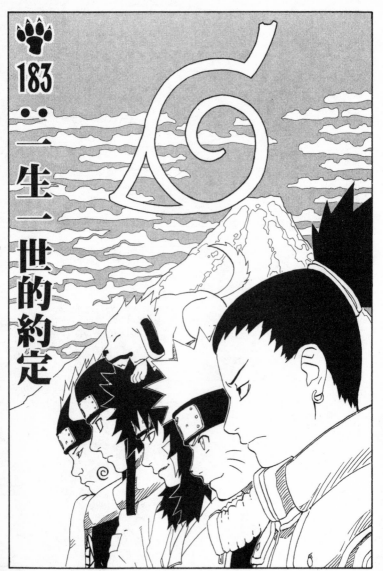

183：一生一世的約定

大家跟我來吧！

好啦！

交給你真的沒問題嗎？

我覺得你好像不是很可靠…

喂！我說…嗚人啊…我可是小隊長啊…雖然這麼做很麻煩…

48

鳴人，你別擺出一副領導人的樣子啦。

不過……讓沒幹勁的鹿丸命令我們，我也覺得不太高興……

汪！

可是……鹿丸已經是中忍了，所以我們要聽他的命令啊！

因為村子的高層都認定他有資格當中忍了。

那就請你訂立一個適合的作戰或計畫吧。

聽說我們很有可能會遭到敵人攻擊。

因為是要救出目標，所以我們是處於追蹤目標的立場。

也就是說，很容易被敵人先下手為強。

因此我們要擺出一個能夠立即應付敵人攻擊的移動隊形來才行。

如果你們無視於我的存在而擅自行動……

所有人可是都會喪命的！

……！

嗚嗚

我們要採取一列縱隊的隊形。

最重要的就是在隊伍的最前面開路的偵查員。

這個工作就交給牙來做。

因為你沒事就會帶著赤丸去散步，所以非常了解火之國的地形與地理。

而且你的鼻子非常靈敏，所以不只能順著佐助的氣味追蹤他。

甚至還能嗅出沾有敵人味道的陷阱。

另外……為了彌補一列縱隊比較無法應付從前方發動的攻擊這個缺點，

讓你和赤丸一起在隊伍最前面比較有效率。

第二個人……就是身為小隊長的我。

這樣我不但可以根據狀況來立刻對我前面的牙下令，

還可以只用手勢來對後面的成員下令。

隊伍的中心，也就是第三個人是鳴人。

擁有爆發力的你能夠立刻掩護前方或後方的夥伴，所以最好是讓你位在隊伍的中心。

你就是掩護我們的關鍵人物，而且你能用影分身術。

第四個人
就是丁次。

你的速度不快，但卻是隊伍裡攻擊力最強的！所以在帶頭的牙、我以及鳴人偷襲了敵人之後，就由你來給予決定性的一擊。

也就是說，你負責確實地打倒敵人。

至於站在隊伍最後的人就是寧次。

我要麻煩你進行最困難的後方警戒。

你可以利用白眼來經常注意我們這支小隊的盲點。

對了，我再利用畫圖來向你們解釋一下。

各位注意看。

你們透過這張圖來確認一下自己分攤到的警戒範圍。

牙警戒前方，而我則警戒更廣範圍的前方。

鳴人警戒左邊，丁次警戒右邊。

至於寧次……你就用白眼警戒整個後方。

寧次

丁次

鳴人

我

牙

另外我想知道目前我們的戰力，

所以讓我看一下你們帶來的忍具吧⋯⋯

三分鐘內我就能把握目前的戰力。

還有其他的疑問嗎？

⋯⋯⋯⋯ ⋯⋯⋯⋯ ⋯⋯⋯⋯

如果沒有問題，那我最後要告訴你們一件最重要的事。

他居然這麼快就想出了適合這些臨時找來的成員的隊形。

哈哈⋯⋯

佐助雖然不是我的好朋友……

而我也不喜歡他。

!?

……

!?

但是佐助和我們一樣是木葉忍者，

是我們的夥伴！

所以我們要拚死命地把他救回來！

這就是木葉忍者的做法！

雖然我是個……

非常怕麻煩的人……

但是你們的性命都掌握在我手上。

每個人都把忍具拿出來。

確認完忍具之後就出發吧。

微笑

你變得有點像中忍了呢！

哼！

54

佐助不會被他引誘過去的！

他不必這麼做就很強了嘛！這一點我可以向妳保證！

．．．．．．

好啦！

那就出發吧！

可惡⋯⋯佐助，你為什麼⋯⋯

．．．．．．

等一下！

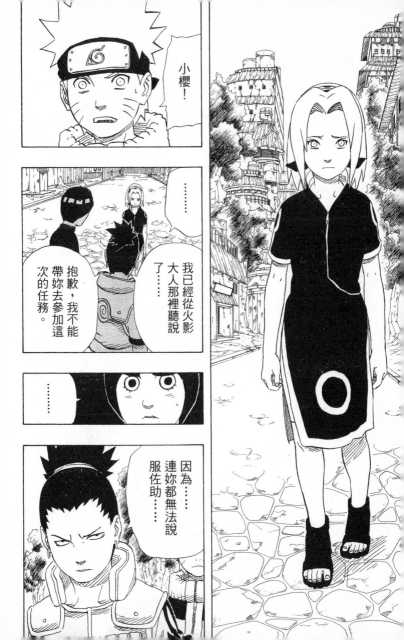

小櫻！

我已經從火影大人那裡聽說了⋯⋯

抱歉，我不能帶妳去參加這次的任務。

⋯⋯⋯⋯

因為⋯⋯連妳都無法說服佐助⋯⋯

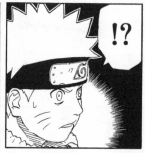

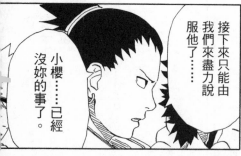

接下來只能由我們來盡力說服他了……

小櫻……已經沒妳的事了。

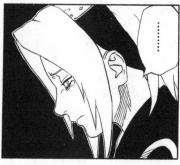

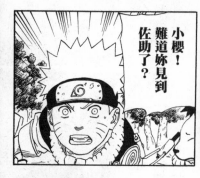

小櫻！難道妳見到佐助了？

……

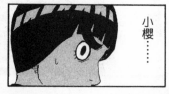

小櫻……

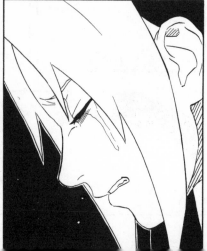

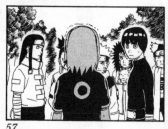

鳴人……這是我一生一世的請求……

止止！我無法阻我無法阻止他！佐助離開！

現在…能夠阻止他…並且解救他的人……只有你了……

鳴人…

請你……請你把佐助帶回來！

滴

滴

……………

小櫻，我知道妳很喜歡佐助……………

58

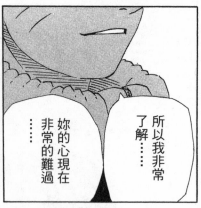

所以我非常了解⋯⋯

妳的心現在非常的難過⋯⋯

小櫻，我有一件事想問妳。

鳴人⋯⋯妳覺得他怎樣？

咦？

他是專門破壞我好事的可惡傢伙，

他以戲弄我為樂⋯⋯

鳴人他根本都不瞭解我⋯⋯

只會惹人厭而已。

嗚⋯⋯

嗚⋯⋯

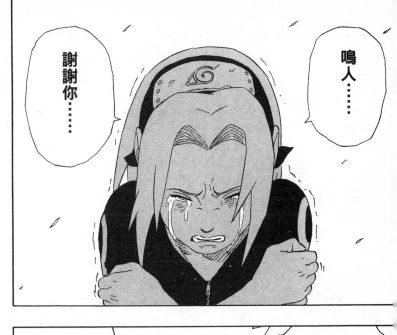

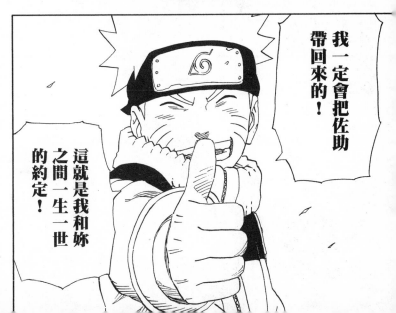

而且經常對我
伸出援手……

其實他非常地
了解我……

嗚……

嗚……

這就是我的
忍道！

哼！我都
是有話直
說……

說這種大話
沒問題嗎？

嗚人！

出發吧！

好啦！

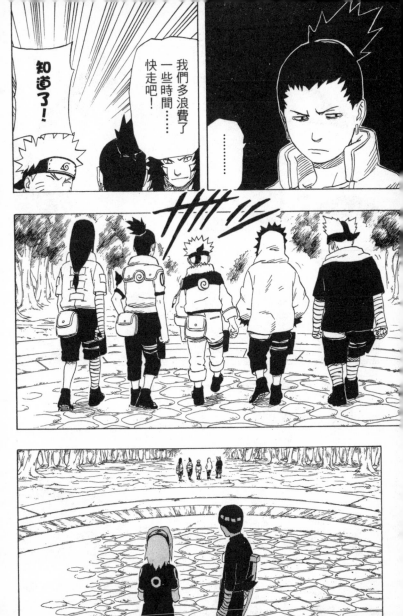

火影忍者 21

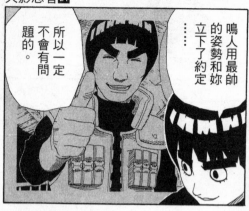

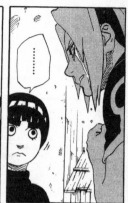

所以一定不會有問題的。

鳴人用最帥的姿勢和妳立下了約定……

……

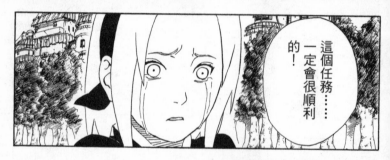

這個任務……一定會很順利的！

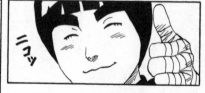

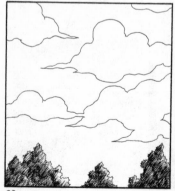

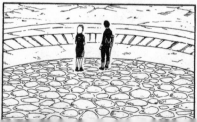

ニコッ

佐助大人，到這裡就行了吧？

我們已經離開木葉忍者村了。

到底是什麼事情？

老實說……大蛇丸大人交代給我們……一件很重要的事情。

……幹什麼？

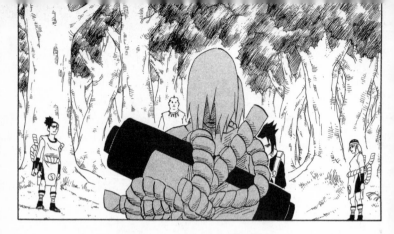

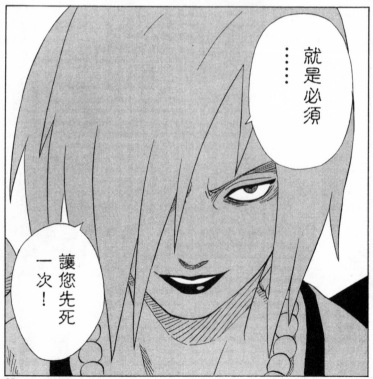

就是必須
‧‧‧‧

讓您先死
一次！

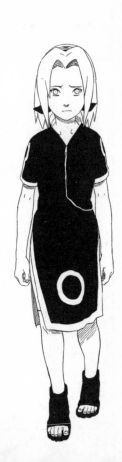

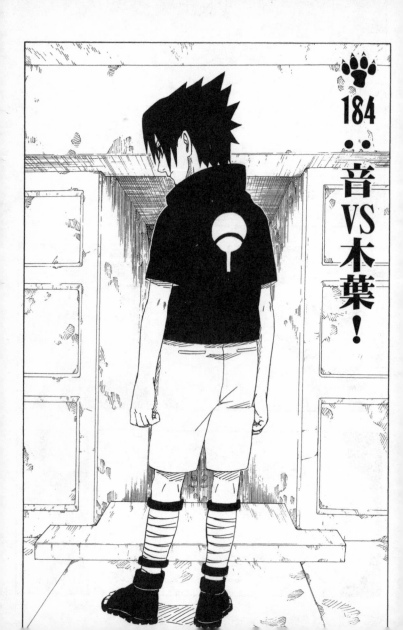

184：音VS木葉！

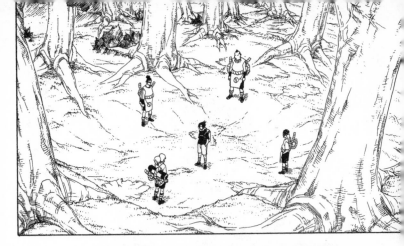

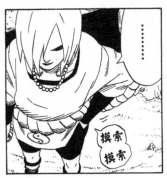

……！

讓我……先死一次？

……！

摸索摸索

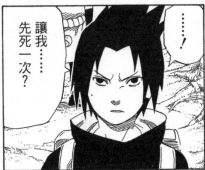

醒心丸。

請您吃下這東西。

拿出

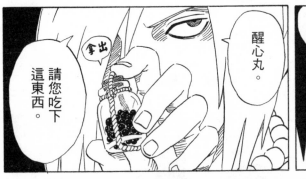

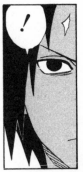

！

醒心丸？

那是什麼東西？

你的咒印等級目前是「狀態一」。

這個藥丸能讓咒印的力量強迫覺醒到「狀態二」。

但是一進入「狀態二」後，咒印侵蝕的速度會變得非常快，

這樣會使您立刻死掉。

不過…

要控制「狀態二」的力量，

就必須讓您的身體長時間習慣「狀態二」。

只要您能讓咒印提升到「狀態二」…您應該就能得到和我們同等的力量，但是……

覺醒之後只能撐幾分鐘。

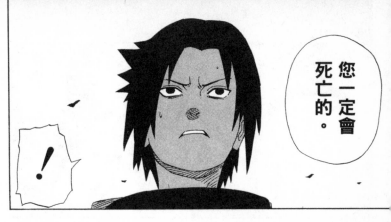

您一定會死亡的。

！

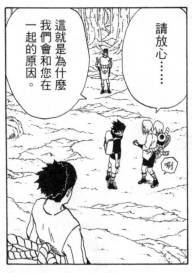

這就是為什麼我們會和您在一起的原因。

請放心……

唰

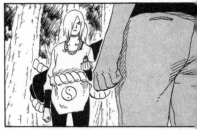

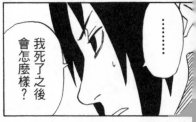

……

我死了之後會怎麼樣？

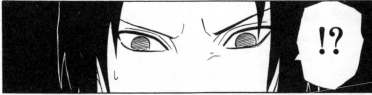

！？

我們會用結界忍術壓抑住它的副作用，將您從永久死亡緩和成假死狀態。

我能相信……你們的結界忍術嗎？

佐助大人……我們四人本來是負責護衛大蛇丸大人的菁英，所以我們非常擅長使用……結界、防壁忍術、咒印術以及封印術。

我無論如何……都還不能死……

噯

……

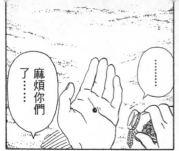

麻煩你們了……

……………

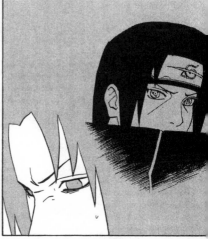

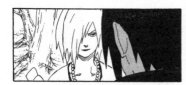

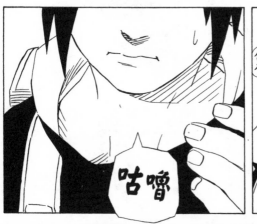

咕嚕

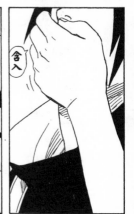

含入

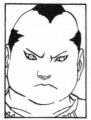

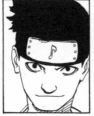

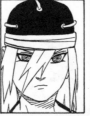

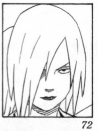

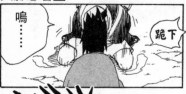

嗚……

跪下

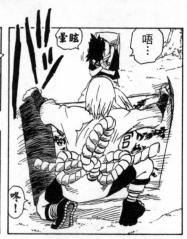

暈眩

唔……

咚！

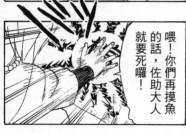

喂！你們再摸魚的話，佐助大人就要死囉！

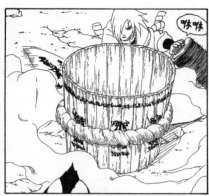

啾啾

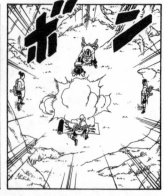

ゴン

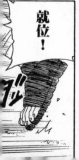

就位！

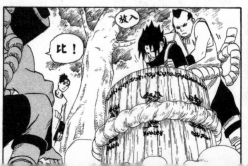

比！

放入

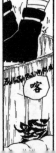

咨

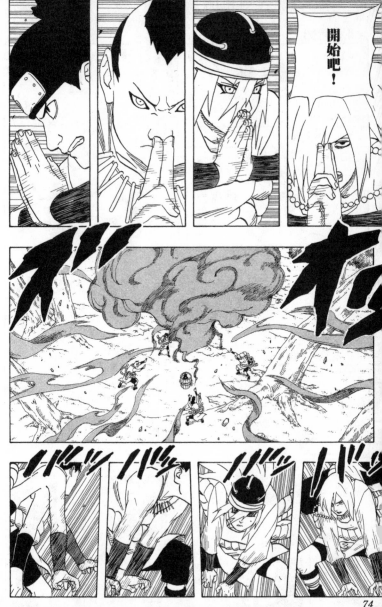

74

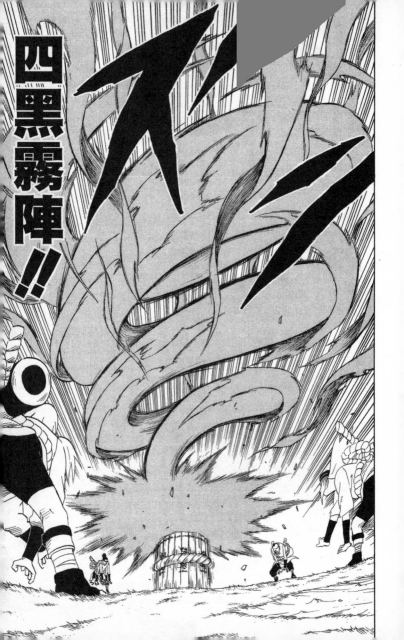

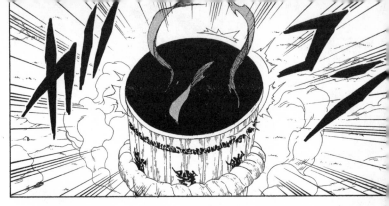

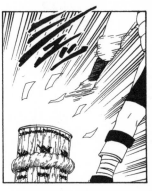

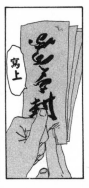

寫上

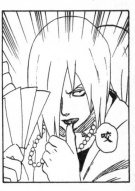

咬

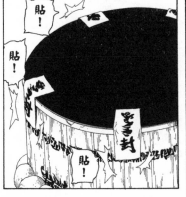

貼！

貼！

貼！

貼！

黑冬封

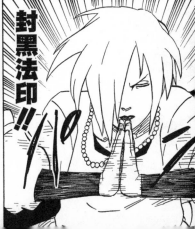

封黑法印!!

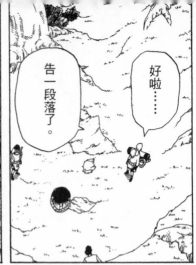

好啦……

告一段落了。

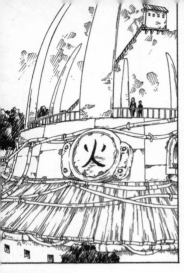

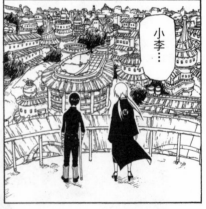

小李……

只要你放棄繼續當忍者，你就不必面對死亡了。

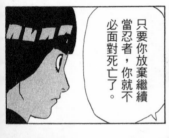

………………

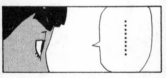

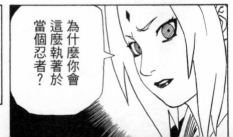

為什麼你會這麼執著於當個忍者？

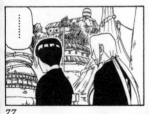

………

77

因為我的目標……

就是證明連像我這樣的人，都能夠成為一個偉大的忍者……

這是我們之間的約定！

即使成功了……

可能還是會死哦……

就算是這樣。

那也是我的夢想。

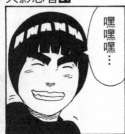

嘿嘿嘿…

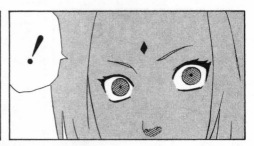

！

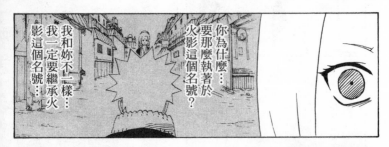

你為什麼…要那麼執著於火影這個名號？

我和妳不一樣…我一定要繼承火影這個名號…

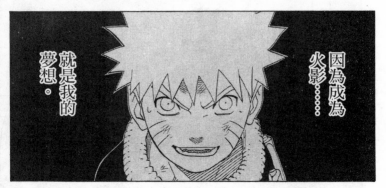

因為成為火影……就是我的夢想。

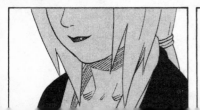

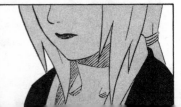

猿飛老師⋯⋯看來您真的是個偉大的火影呢。

有許多可靠的孩子們在這個村子裡長大⋯⋯

小李！那就走吧！

你已經做好覺悟了嗎？

好了！

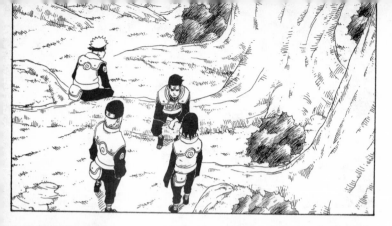

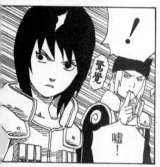

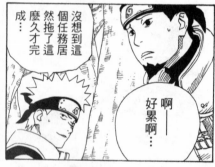

沒想到這個任務居然拖了這麼久才完成…

！

驚覺

噓！

啊——好累啊…

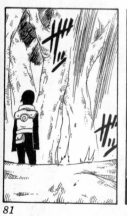

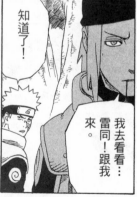

知道了！

我去看看…雷同！跟我來。

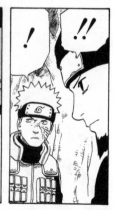

！！

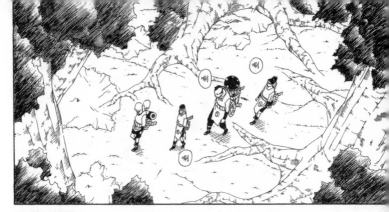

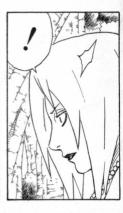

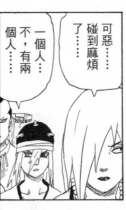

一個人……不，有兩個人……

可惡……碰到麻煩了……

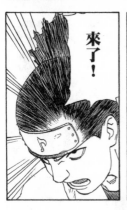

來了！

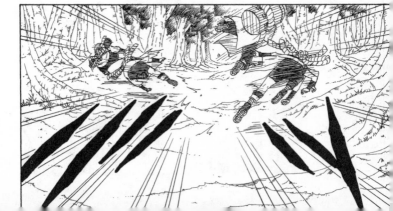

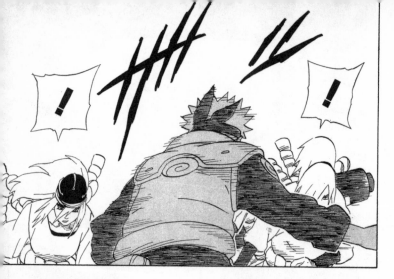

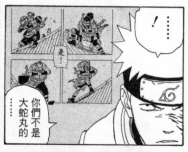

你們不是……大蛇丸的……

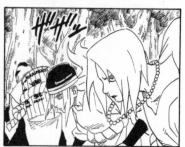

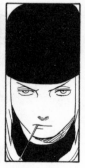

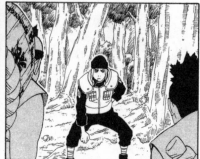

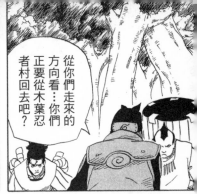

從你們走來的方向看⋯你們正要從木葉忍者村回去吧？

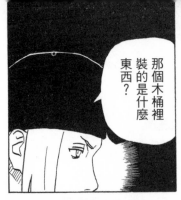

那個木桶裡裝的是什麼東西？

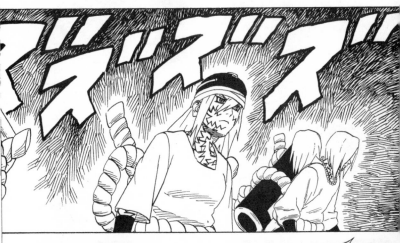

ズズズッ

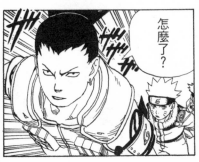

怎麼了？

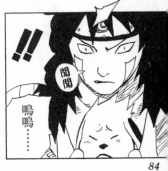

閃閃

嗚嗚⋯⋯

84

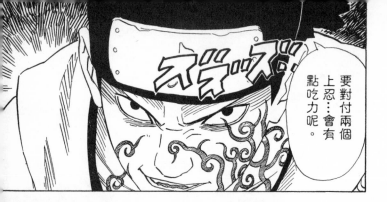

要對付兩個上忍⋯⋯會有點吃力呢。

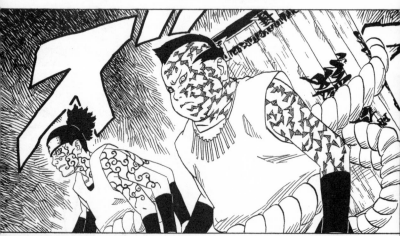

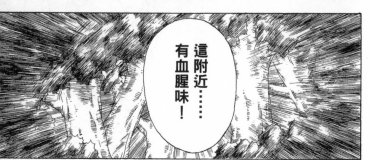

這附近⋯⋯有血腥味！

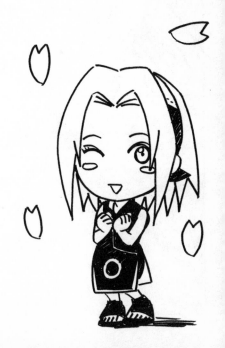

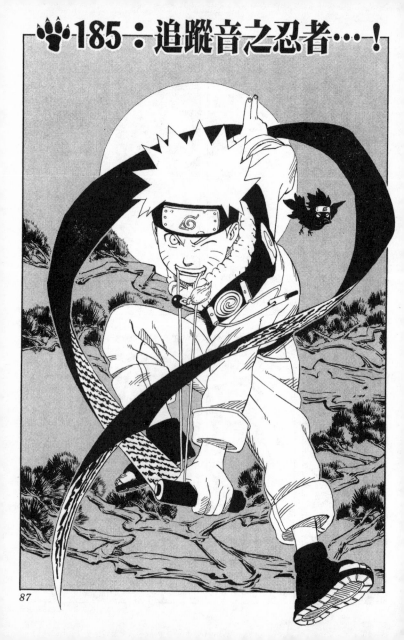

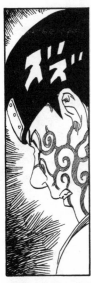
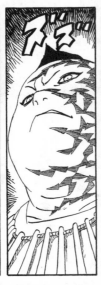
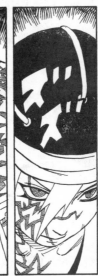
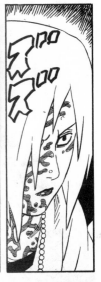
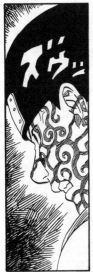
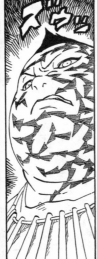
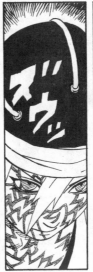
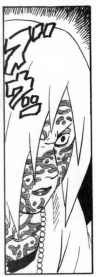

都有兇印⋯

每個人身上

表示不用廢話嗎？

這和之前被你們偷

襲可不一樣呢！

少囉唆！

廢物，快點

死一死吧！

大蛇丸的玩

具啊⋯⋯別小

看木葉忍者

村的忍者。

咻⋯⋯

ブブ

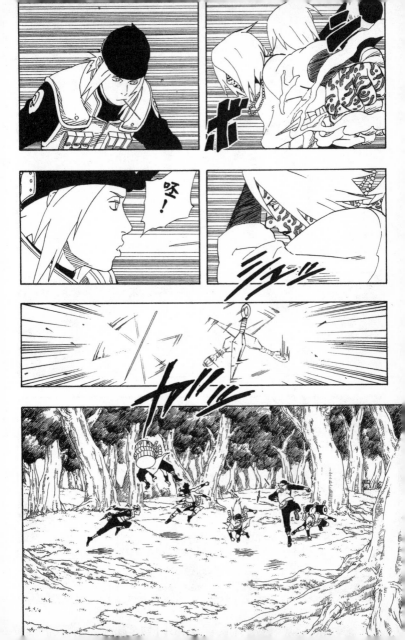

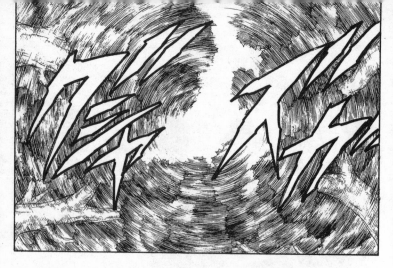

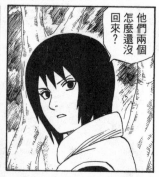

他們兩個怎麼還沒回來？

靜音小姐，請問該怎麼辦？

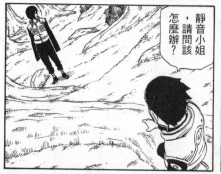

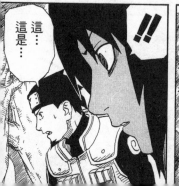

這…這是…

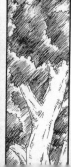

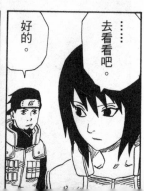

好的。

……去看看吧。

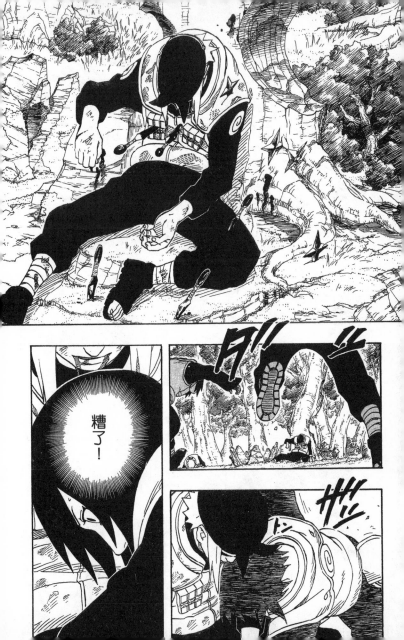

糟了！

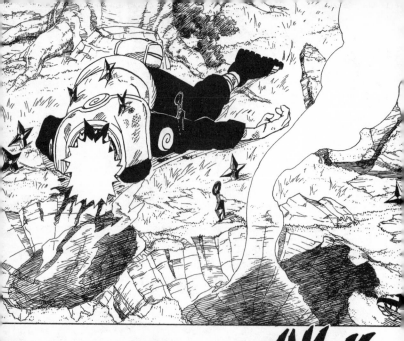

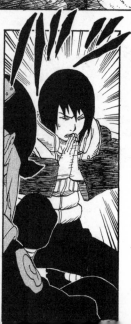

沒想到⋯
他們兩個
居然被打
倒了！

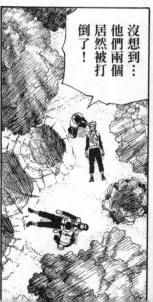

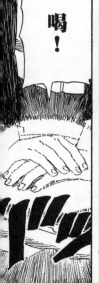

喝
！

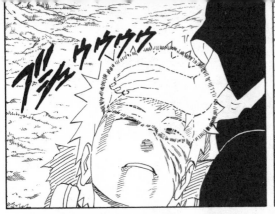

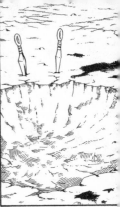

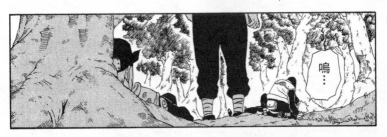

嗚
…

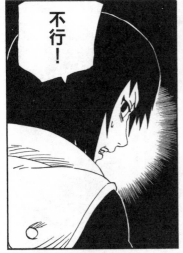

不行！

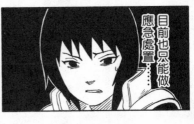

目前也只能做
應急處置…

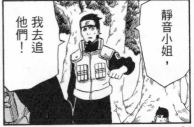

靜音小姐，
我去追
他們！

……！
……

伊瓦西，等等……

可是……

他們用的術……已經不是忍者會用的東西……

單獨去追他們根本就是白白送死……

ゴボ ゴボ

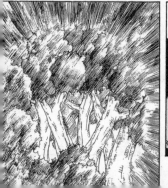

……

弦間，別說話了。

ゴホン

聞聞～

雖然我們聞到包含佐助在內有五個人的味道，還有另外兩個人的味道碰撞在一起⋯

但是有五個人的味道已經離開血腥味了！

怎麼辦？

果然⋯⋯

這些事情是由鹿丸來決定的！別以為你是老大！

鳴人！少囉唆！

我們趕快去追佐助吧！

有人在引導佐助。

事情變得越來越麻煩了⋯⋯

會聞到血腥味大概是因為……發生了戰鬥吧。

去那裡看看應該能得到一些情報，但是……

因為沒辦法貿然靠近，所以必須改用偵查模式，慢慢的接近……

當我們慢慢走過去的時候，佐助就會穿越火之國的國境了。

怎麼辦？

……………

好吧！我們去追佐助！

好！這樣才對嘛！

也就是說…敵人有可能會設下陷阱或是埋伏。

但是……既然發生戰鬥，敵人應該也會加強戒備。

當然也有可能是忍者追殺部隊的人和他們發生戰鬥。

咕嚕…

聽好了…接下來大家要把視覺與聽覺運用到最大極限。

我們要在遭到埋伏之前先發現敵人！

另外，如果發現可疑的痕跡，除了避開之外，還要對其他隊友解釋你發現的狀況！

知道了！

找到他們之後…我要用新絕招狠狠地修理他們！

驚覺

鳴人那傢伙……每次我見到他，他就有新絕招。

可惡……我還以為終於能趕上他了呢。

喂！

現在只聞到敵人的味道而已！

大家快停下來！

仔細看上面……

是引爆符……另外還有五個地方貼著……從形狀來看……是「結界法陣」。

結界法陣？

那是一種陷阱忍術。

法陣系的陷阱是一種當敵人踏進由符所圍起來的法陣內時，就會立刻發生作用的時間差式陷阱……

漫不經心

ドカン

那是一種高等忍術……老爸看的書上是這麼寫的。

可惡！

只能繞遠路了……

真是的⋯⋯一路上都是陷阱⋯

是啊，不過敵人也在趕時間吧！陷阱都設置得很明顯⋯

鳴人，你的腳邊有一條線！

鳴人啊⋯⋯別中了敵人的陷阱喔！

啊⋯⋯又是線

我知道啦！

舉腳

鳴人！等一下！

什麼？

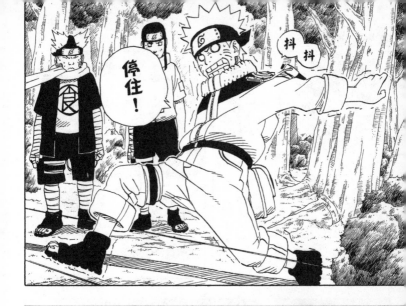

停住！

抖 抖

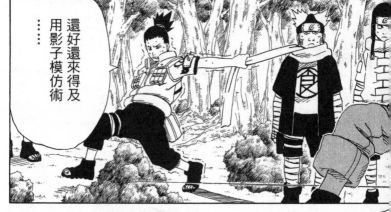

還好還好來得及⋯⋯用影子模仿術

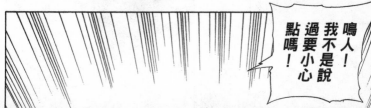

鳴人！我不是說過要小心一點嗎！

原來如此……

其中一條線會
被光線反射所
以容易發現，
但另一條線則
塗上了去反射
的顏料……

……
所以用肉眼
不容易發現

……
這是雙重
陷阱。

敵人雖然在趕
時間，但是卻
設下了這個精
密的陷阱……

也就是說……

他們正在
休息。

可能是有人
受傷了，或
只是個陷阱
……

白眼！！

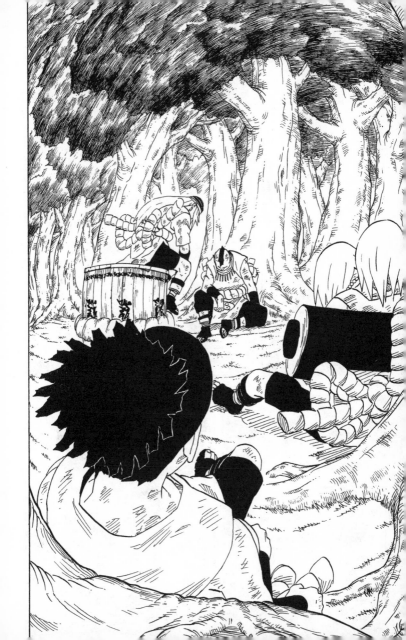

找到了!

鳴人!抱歉啦!這次我要展現新絕招囉!

我一定要把佐助帶回去!

太好了!

別急……等我做好作戰準備之後……再去接觸目標。

我也是!

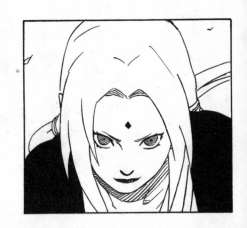

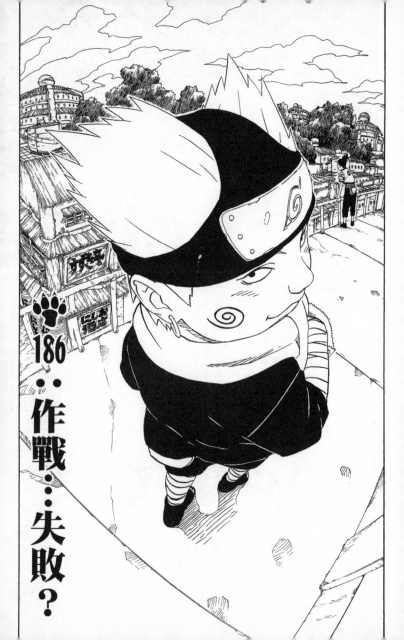

可惡⋯⋯

我們正在趕時間，居然還要在這裡休息⋯⋯

有什麼辦法？

維持在「狀態二」的狀況下和敵人交手，我們的體力會消耗得很快。

最麻煩的是暫時沒辦法使力⋯⋯

誰叫我們的對手是兩個上忍，手下留情只會害死我們。

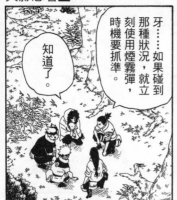

牙……如果碰到那種狀況，就立刻使用煙霧彈，時機要抓準。

知道了。

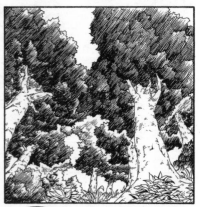

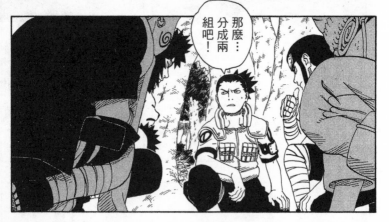

那麼……分成兩組吧！

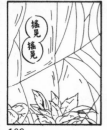

搖晃
搖晃

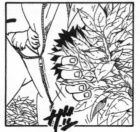

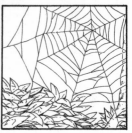

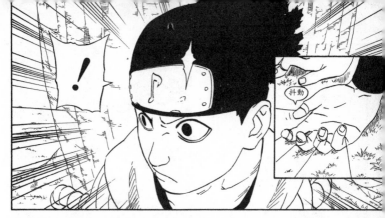

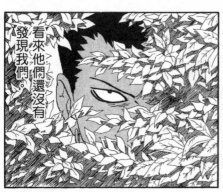

看來他們還沒有發現我們

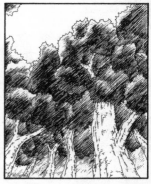

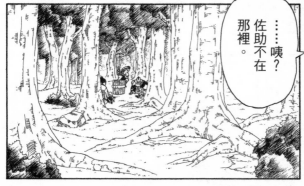

……咦？佐助不在那裡。

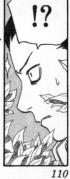

看來⋯⋯

哼！

他死了嗎？

他被裝在那個棺材裡。

⋯⋯說得也是

所以應該不會輕易殺了他⋯⋯

但是他們那麼想得到佐助，

桶子上似乎貼著結界封印，不容易透視⋯

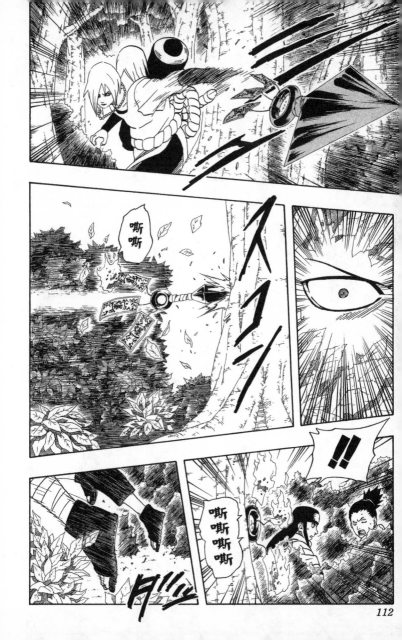

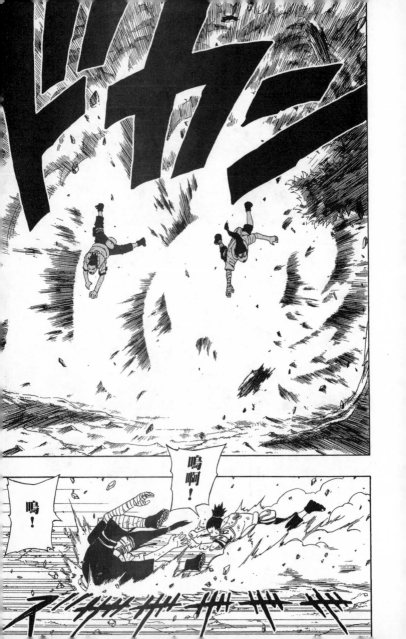

嗚
…

什麼嘛……本來想打草驚蛇一下，沒想到抓到的不是蛇，而是兩隻蟲。

咳！咳！

而是來和你們交涉的！

我們不是來戰鬥的！

等一下！

別急啦！

逼近

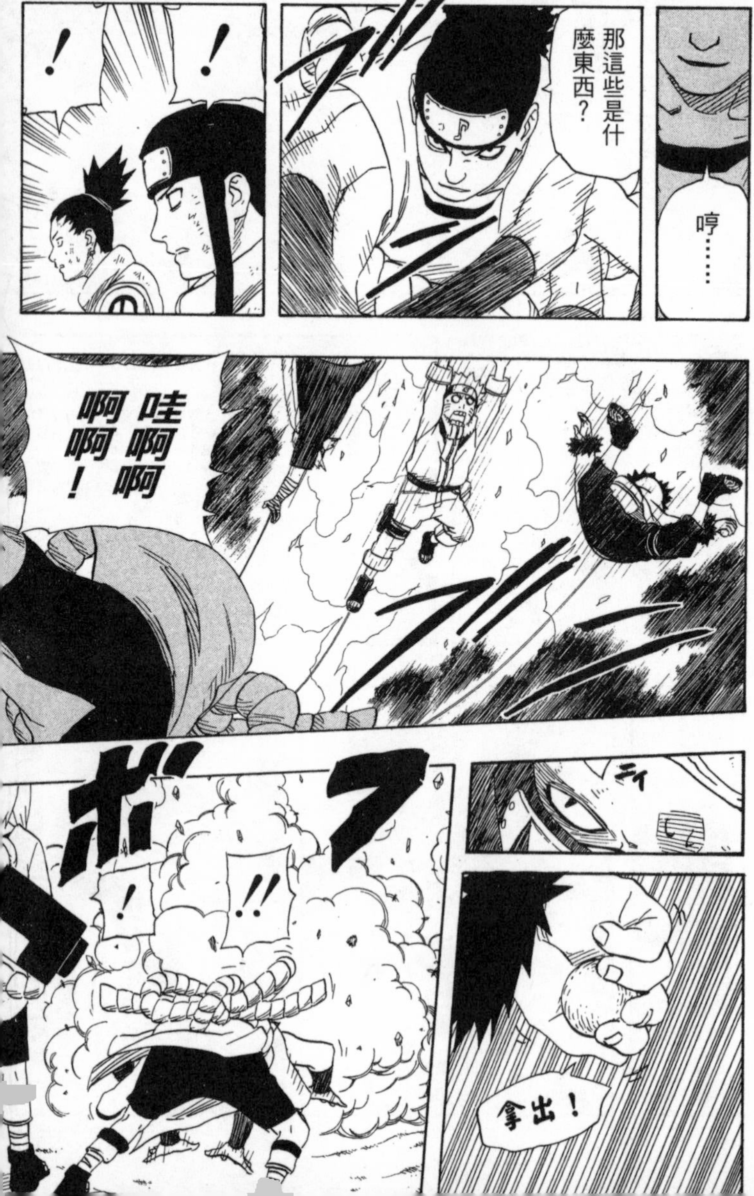
！
！
那這些是什麼東西？
哼……
哇啊啊啊啊啊！
！
!!
拿出！

嘻嘻⋯這個煙霧彈有什麼意義啊？你們絕對逃不出我的手掌心。

這種線比鋼線更細、更堅固，而且肉眼幾乎看不見。

這四週都被我佈滿了這種線呢。

好痛⋯

可惡⋯

⋯⋯⋯⋯

哼⋯⋯沒想到居然有人有這種能力⋯⋯

糟糕

其實這是個三重陷阱！

原來你是故意在那個陷阱上用兩種線⋯⋯

影子模仿術
成功了！

牙！鹿丸！
太棒了！

怎麼
了？

我的身
體……

我會把你們
給……

傷腦筋……

謝謝你們乖乖
上當了。

不過……
這世上也
有人有這
種能力。

嘻嘻
……

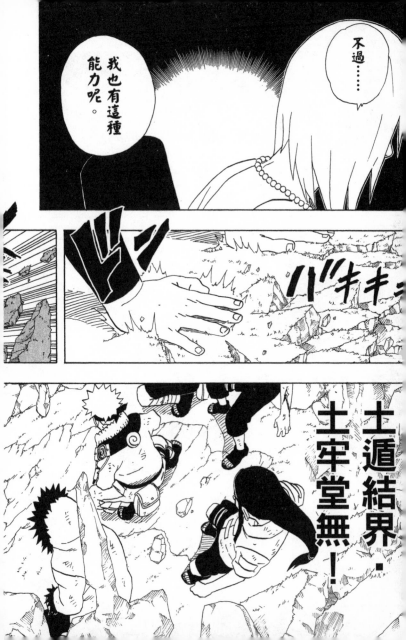

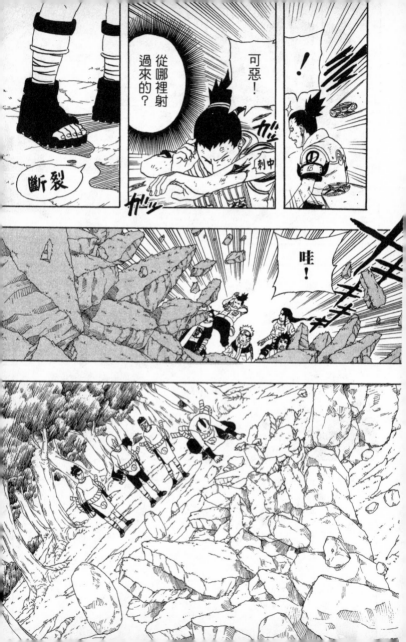

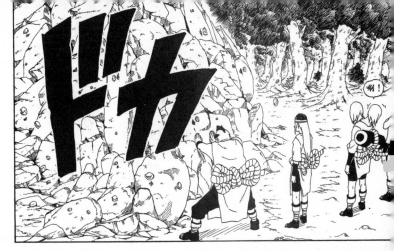

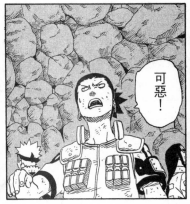

可惡！

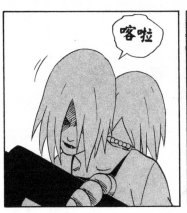

喀啦

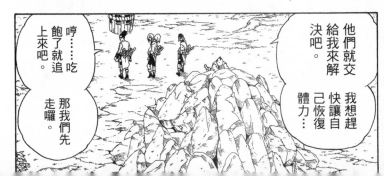

他們就交給我來解決吧。

我想趕快讓自己恢復體力……

哼……吃飽了就追上來吧。

那我們先走囉。

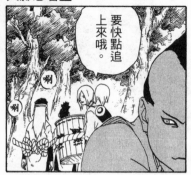

要快點追上來哦。

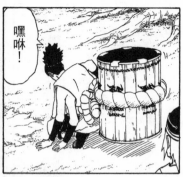

嘿咻!

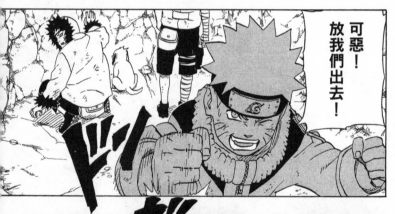

可惡!放我們出去!

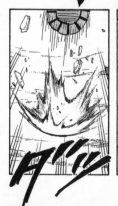

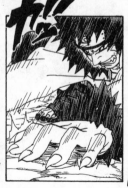

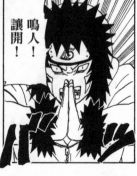

鳴人!讓開!

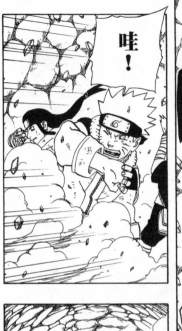

哇！

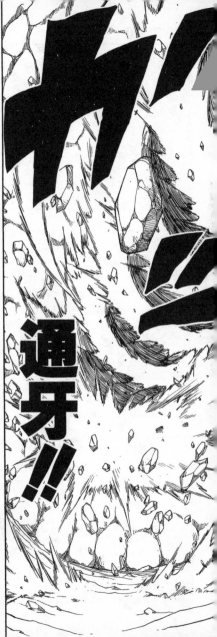

通牙!!

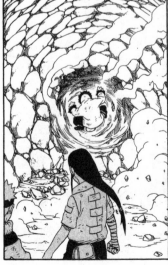

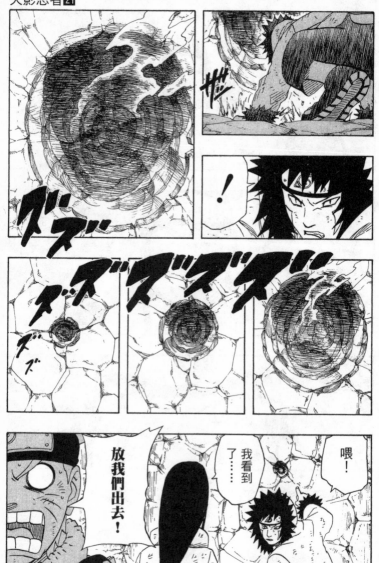

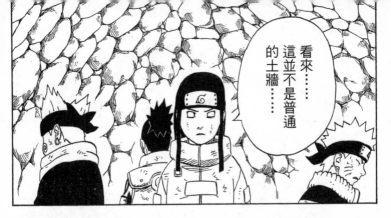

看來……
這並不是普通
的土牆……

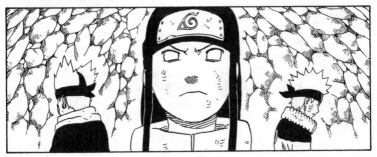

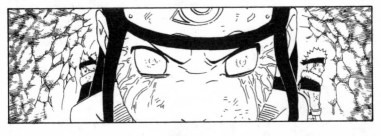

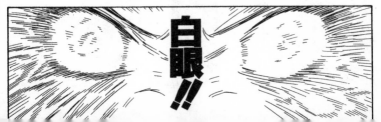

白眼!!

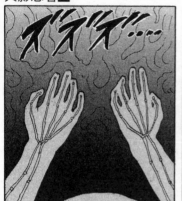

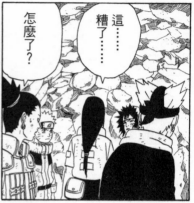

怎麼了……？

這……糟了……

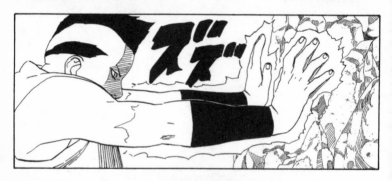

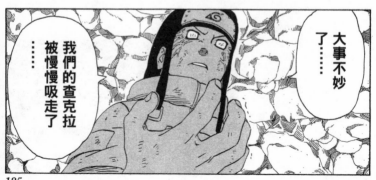

我們的查克拉被慢慢吸走了……

大事不妙了……

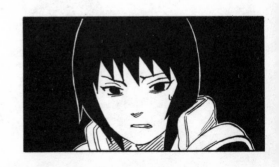

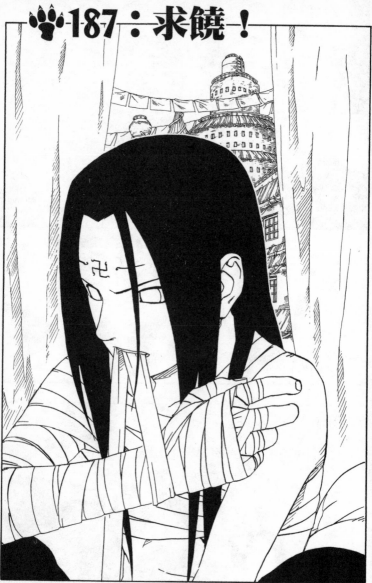

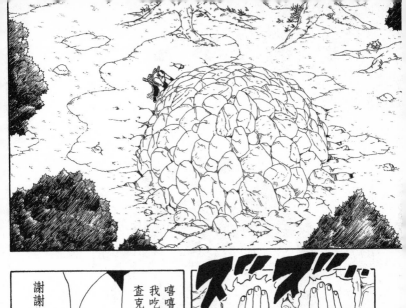

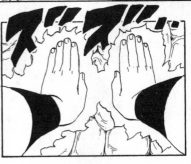

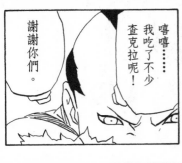

謝謝你們。

嘻嘻……我吃了不少查克拉呢！

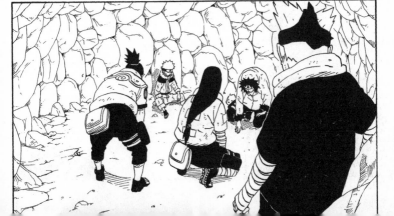

我覺得身體使不上力了

……

量眩

唰！

嗚……

……

我太大意了！居然在確認敵人的能力之前，就讓大家都被抓住了……

而且這裡面……

鹿丸，再這樣下去我們會有危險啊……

瞪！

可惡！沒辦法了！

在查克拉被吸盡之前，我要在牆上打出洞來！

吼喔喔喔喔喔……

ザワ ザワ

咬！

赤丸，軍糧丸給你！

汪！

吼喔喔！

ザッワ ザワ ザワ

吼喔喔喔！

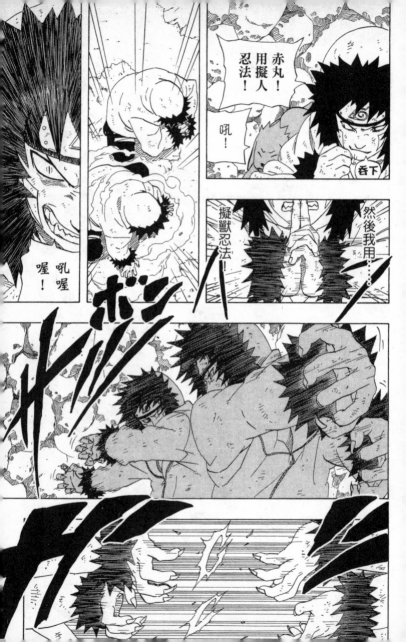

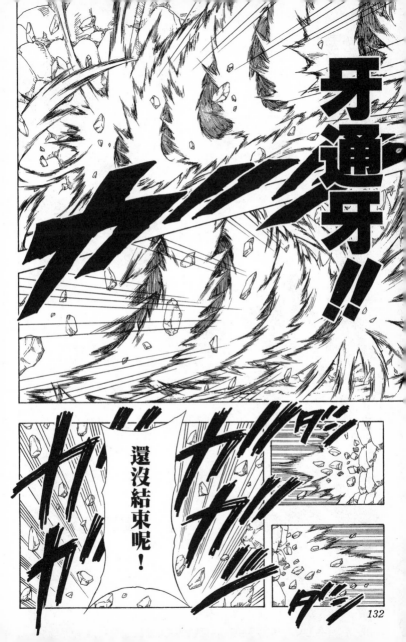

牙通牙！！

還沒結束呢！

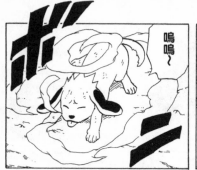

嗚嗚～

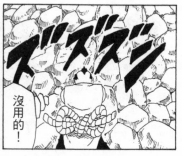

沒用的！

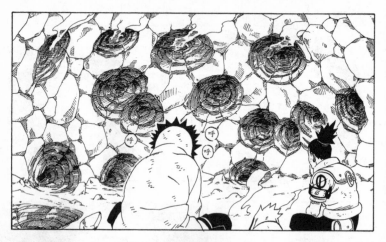

呼　呼　呼

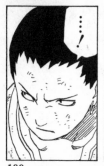

……！

我才打了洞就補起來了……地面也一樣。

可惡！

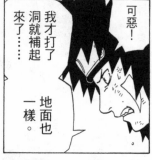

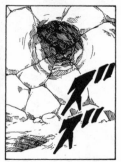

ズズ...

········ ········

ズズズ...

螺旋丸!!

這樣根本撐不了十分鐘…我們會因為失去查克拉而全軍覆沒的…

呼

呼

可惡……在這個查克拉會被吸走的地方，根本就使不出需要高度查克拉控制技術的螺旋丸……

フォン…

喂！你聽我說！

我想和你們的隊長談談！

我們不會再去追佐助了！

所以請你放我們出去！

喂……

鹿丸！你在說什麼啊？

起內閧啦？

哼…真有趣…不過你們是我的餌食，我不會放你們出來的。

即使你只放走我一個人也沒關係。

那放我一個人出去就行了…

我覺得這種戰鬥…實在是太麻煩了！

………………

你知道自己在說什麼嗎！

這個人好像是你們的隊長吧…他在向我求饒呢！

哇哈哈哈…

………………！

當人在面臨死亡的時候，就會展現出本性

……

像你這種愚蠢的傢伙根本就沒有資格把隊員的生命掌握在手中。

真是個十足的人渣。

我最後要告訴你們一件最重要的事。

丟下佐助不管，而且還出賣同伴…這就是木葉忍者村的中忍啊？嘻嘻…

像你這種人最好去死！我不會放你出來的！

佐助和我們一樣是木葉忍者，他是我們的夥伴。

所以我們要拚死命地把他救回來！這就是木葉忍者村的做法！

鹿丸，虧我還那麼相信你！我真的是看錯你了！和我到外面去談一談！

笨蛋！怎麼出去啊！不然你們怎麼會吵起來？

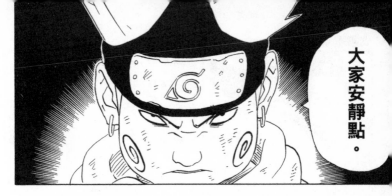

大家安靜點。

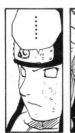
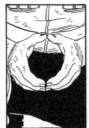
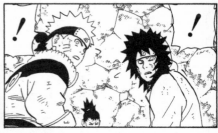

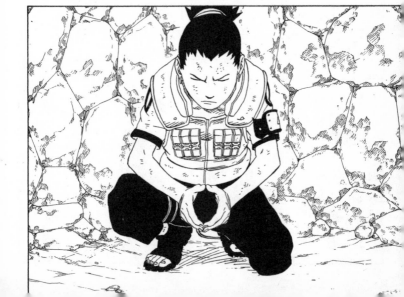

喂!你幹嘛突然吃起零食啊!

丁次只要一生氣就會猛吃東西…

真是的…這傢伙也派不上用場呢。

洋芋片

沒辦法了……那就用影分身術吧!

別衝動……

敵人在土牆上佈滿了查克拉……即使稍微傷害到土牆,還是會立刻恢復原狀。

如果不用一擊就能突破土牆之破壞力的體術招式來攻擊,根本就沒有意義。

體術招式的破壞力比我強的就只有丁次……

但是他那個樣子……

パチ

寧次……麻煩
你用剩下的查
克拉仔細地觀
察你和丁次後
面的土牆。

知道了……

鳴人！
你還不懂
嗎？

快想起鹿丸
集合我們時
對我們說的
話！

鹿丸！
你給我閉嘴！

雖然我是個
非常怕麻煩
的人……
但是你們的
性命都掌握
在我手上。

！

丁次，接下
來說話的時
候記得小聲
點。

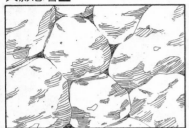

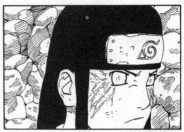

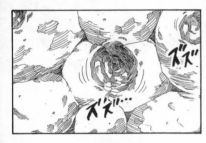

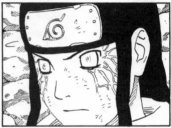

就是那裡啊。

哼！原來如此⋯

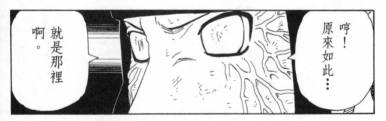

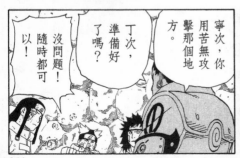

寧次，你用苦無攻擊那個地方。

丁次，準備好了嗎？

沒問題！隨時都可以！

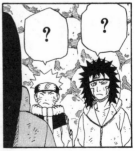

？　？

倍化術！

但是鹿丸推測……用這種方法製造出來的堅固土牆，應該有些地方的查克拉層比較薄。

我剛剛也說過這個土牆佈滿了查克拉……

啊？

你們想幹嘛

他就發現土牆上的傷痕有些恢復得快，有些恢復得慢。

當牙與赤丸攻擊土牆的時候，

他怎麼會知道這件事情啊？

142

而剛剛鹿丸和敵人對話時，已經確定了敵人在外側的位置。

因為…

也就是說…查克拉層越薄的地方恢復的速度就越慢。

次郎坊的查克拉

他認為離敵人最遠的土牆就是查克拉層最薄的地方，

而他已經確認那個牆層最薄的地方在哪裡了。

原來如此…要欺騙敵人就要先欺騙自己人啊…

他就是為了實行這個作戰，才會對敵人那麼說…

好——我要上了！

那丁次不就一開始便發現現在要這麼做了嗎…

他吃東西就是為了補充查克拉。

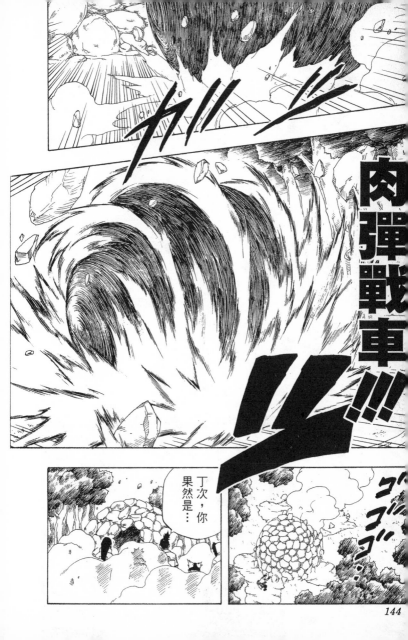

肉彈戰車！！！

丁次，你果然是…

144

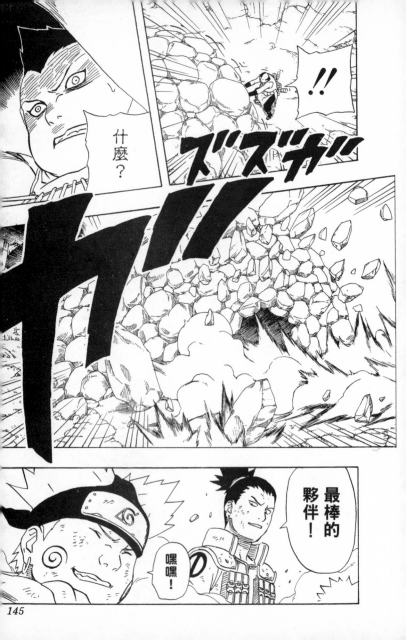

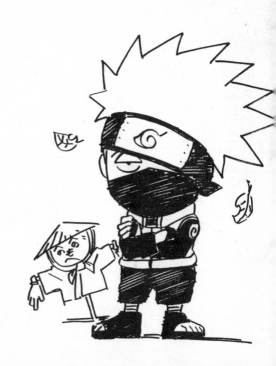

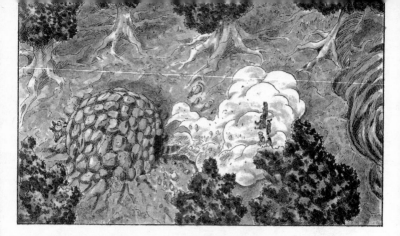

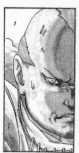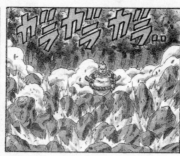

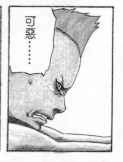

可惡‥‥‥

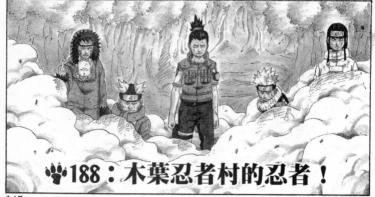

🐾188：木葉忍者村的忍者！

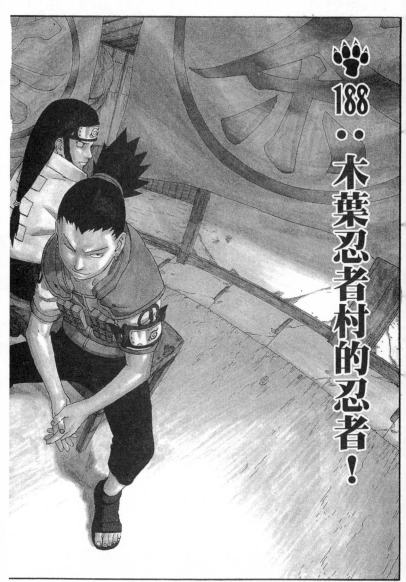

188：木葉忍者村的忍者！

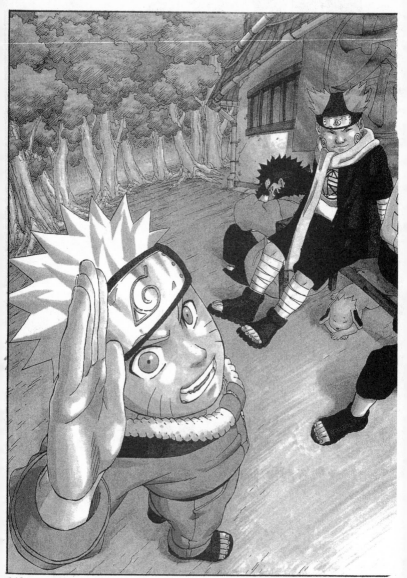

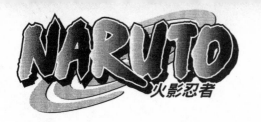

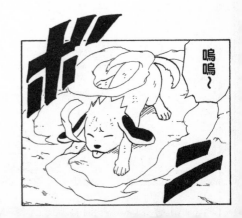

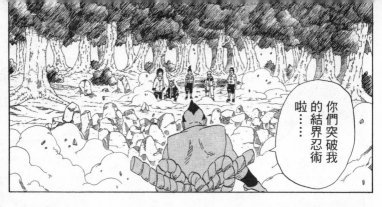

你們突破我的結界忍術啦……

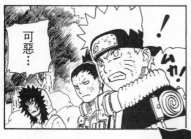

可惡……

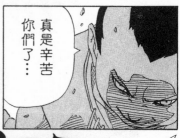

真是辛苦你們了…

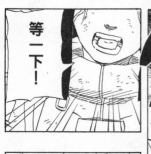

等一下！

只要逃出來，我們就有勝算了！

我來！讓我來！我要打倒他！

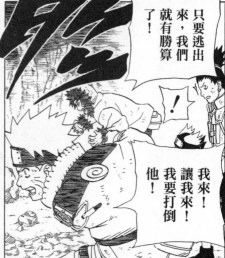

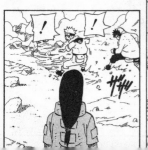

在這裡和他起衝突實在太危險了。

雖然是五對一，但是我們的查克拉被他奪走了，所以無法在短時間內打倒他。

花太多時間在他身上的話…佐助就會通過火之國境。

這樣我們就沒辦法處理這件事情了。

那我們到底該怎麼辦啊？

………

………

結界已經被破解了！

我們絕對能打倒他！

47

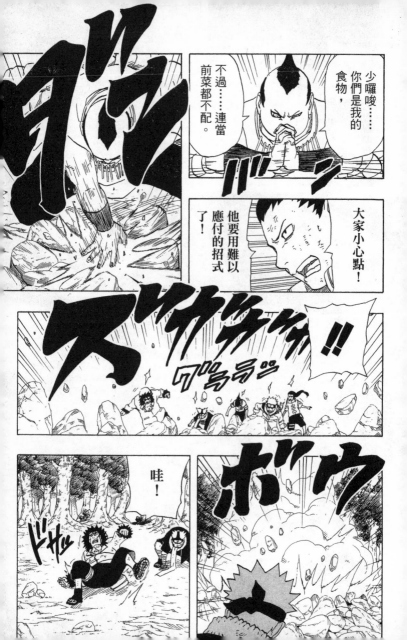

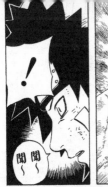

閃閃

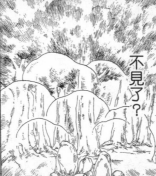

不見了？

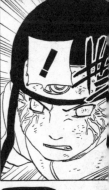

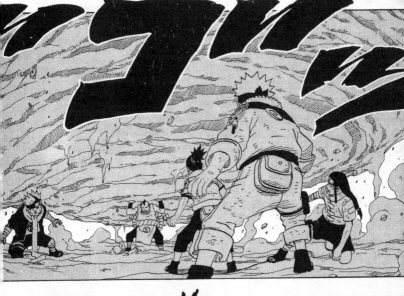

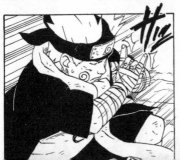

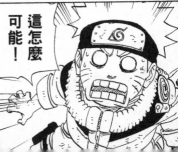

這怎麼可能！

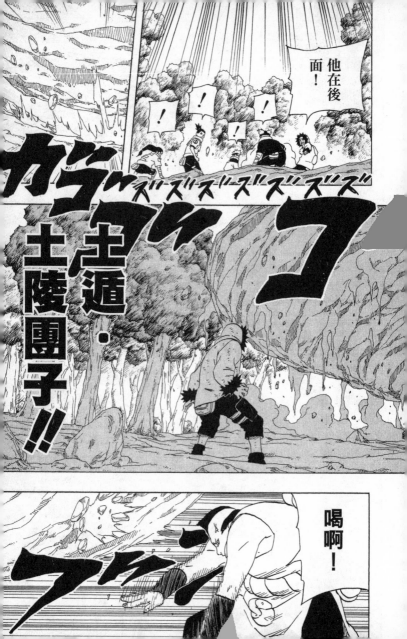

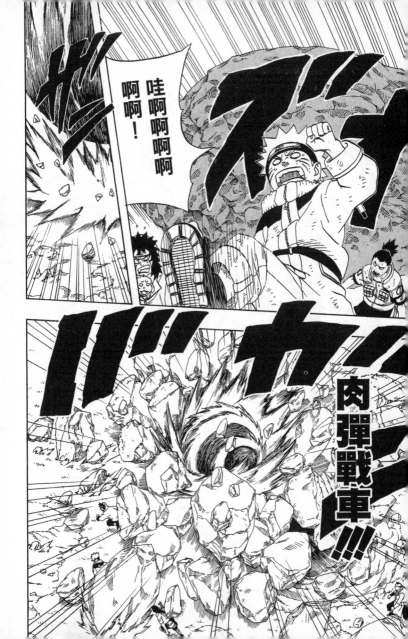

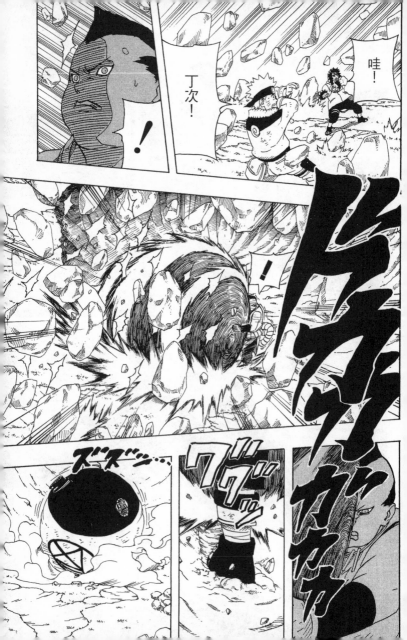

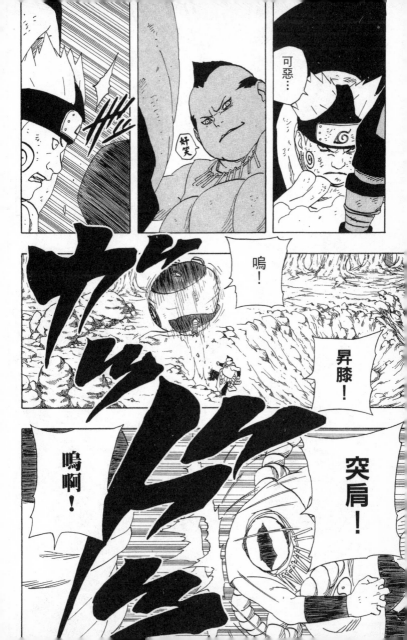

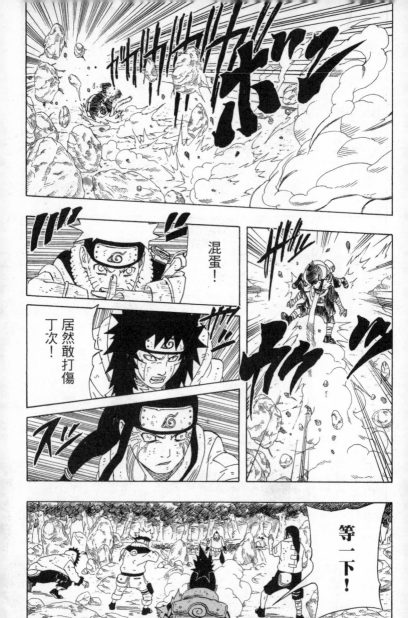

寧次，由你來擔任副隊長…

你帶著牙和丁次去追佐助。

再這樣下去…我們會追不上佐助。

我們分成兩組行動…已經沒有時間了。

抬頭

我和鳴人留在這裡想辦法對付他！

你又要用影子束縛術啦？

你真的認為你們分成兩組行動…就有辦法打贏我們嗎？

嘻嘻…我記得你是這個小組的隊長吧。

真是無聊的術啊…那根本就是看一次就嫌煩的街頭雜耍招式。

有個愚蠢的隊長，真的會讓部下…… 嚐盡苦頭啊。

抖動

不過我會在你們這些甘願當喜歡玩森傢伙部下的陰森傢伙部下的白癡…… 嚐到苦頭之前殺了你們。

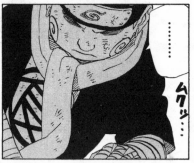

………

ムクッ…

讓我來！

我要幹掉………

可惡！少說大話啦！

！

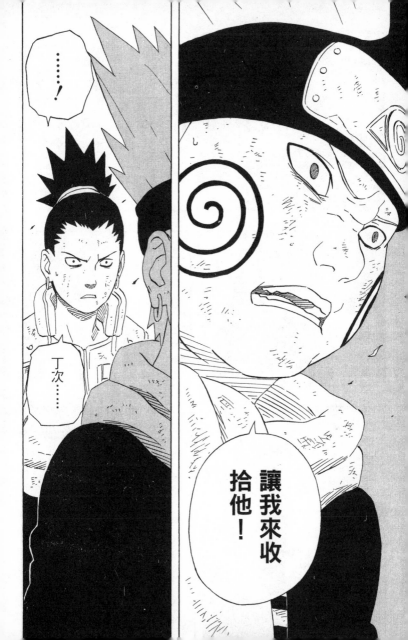

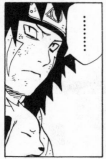

……

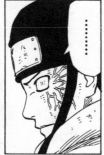

……

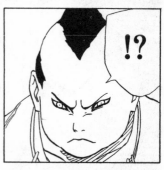

!?

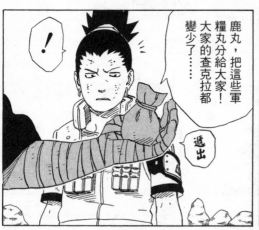

鹿丸，把這些軍糧丸分給大家！大家的查克拉都變少了……

！

遞出

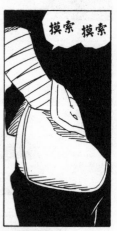

摸索 摸索

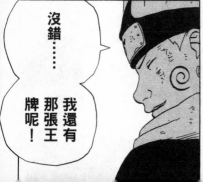

沒錯……我還有那張王牌呢！

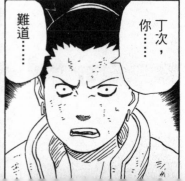

丁次，你……

難道……

丁次……

鹿丸，你快帶大家走吧！

但是你…

如果就這麼讓佐助通過國境，我們就會變得像他說的一樣…

我們是為了什麼目的才聚集在一起的？

別說傻話了！

你一個人根本沒辦法對付他啊！

是一個愚蠢的隊長和一堆白癡的部下。

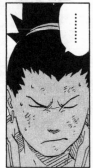

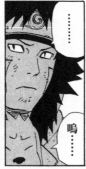

……

嗚
……

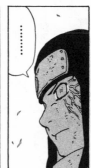

……

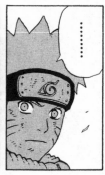

……

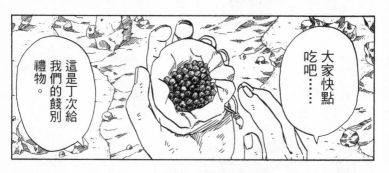

大家快點
吃吧……

這是丁次給
我們的餞別
禮物。

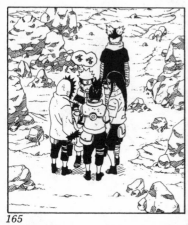

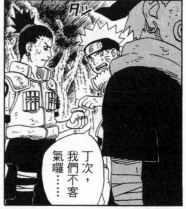

丁次，
我們不客
氣囉……

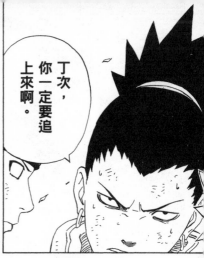

丁次，你一定要追上來啊。

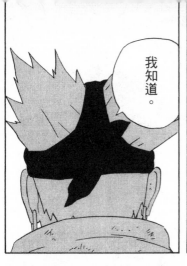

我知道。

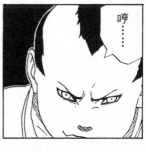

哼……

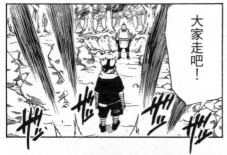

大家走吧！

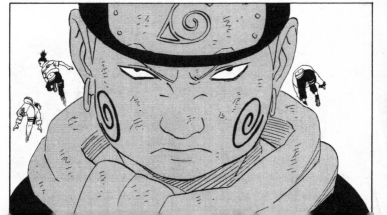

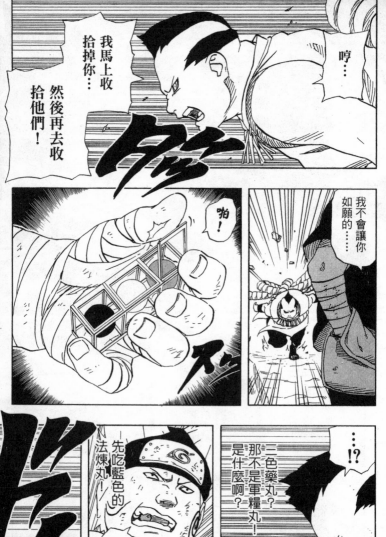

哼⋯

我馬上收拾掉你⋯然後再去收拾他們！

我不會讓你如願的⋯⋯

啪！

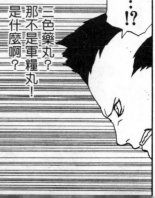

⋯!!?

三色藥丸？那不是軍糧丸！是什麼啊？

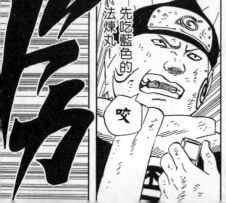

先吃藍色的法煉丸！

咬

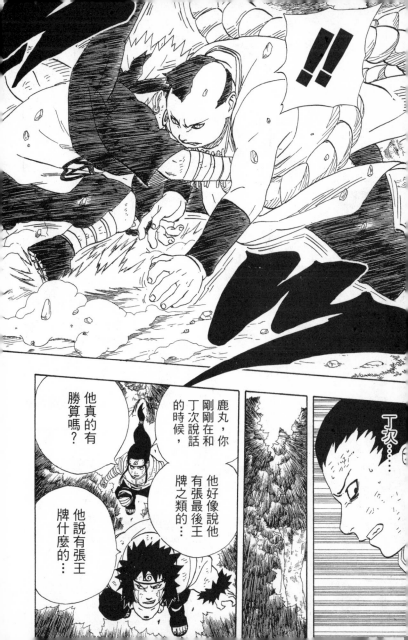

你們快走吧！

他在參加這次的任務時，帶了秋道一族秘藥中的秘藥…

只要吃下去就能得到爆發性力量的藍色、黃色、紅色三色藥丸。

原來如此！難怪他會擺出那麼強硬的態度！

「三色藥丸」所擁有的力量確實很強……

但是作用非常強的藥，一定也會有副作用……丁次，你要趕快分出勝負啊！

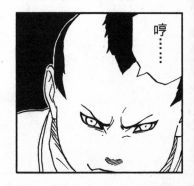

189：相信的力量……！

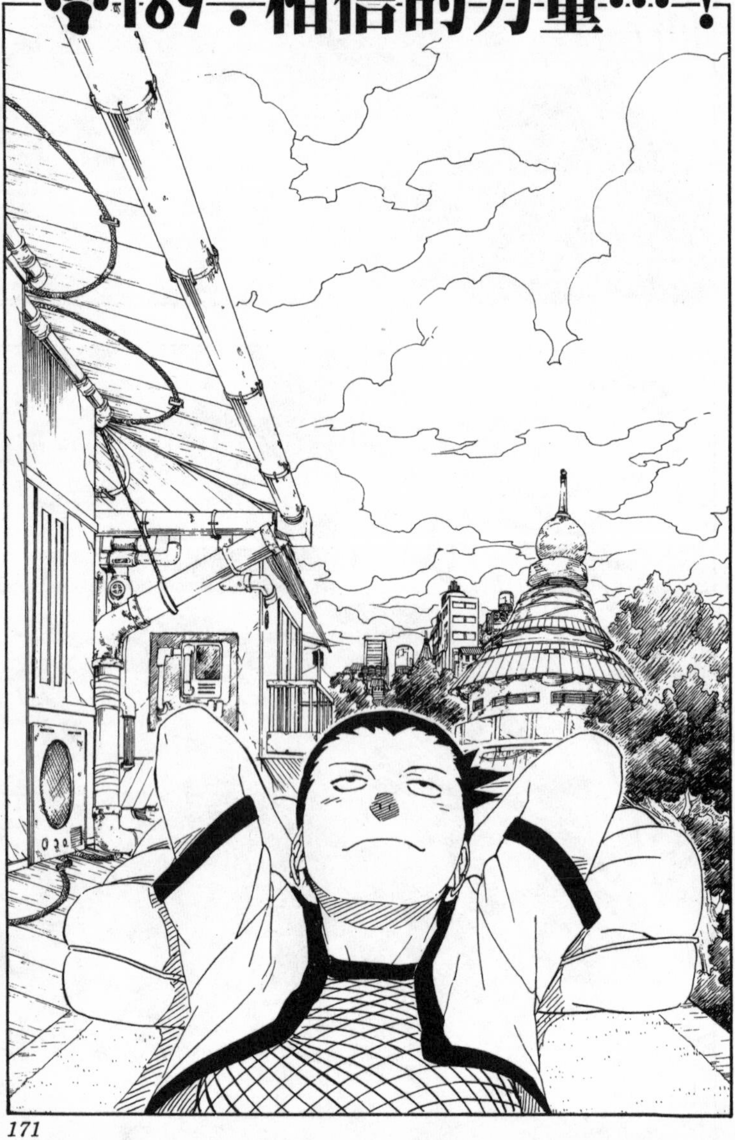

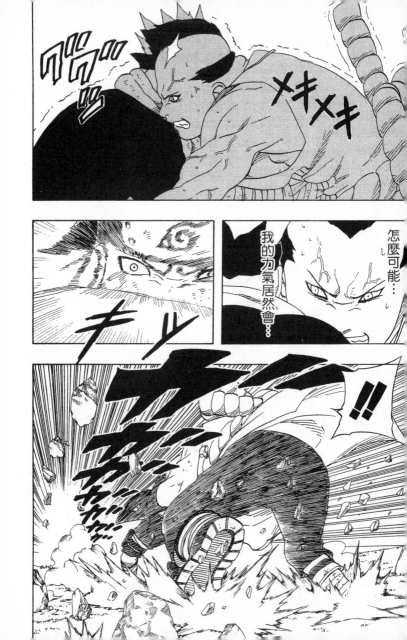

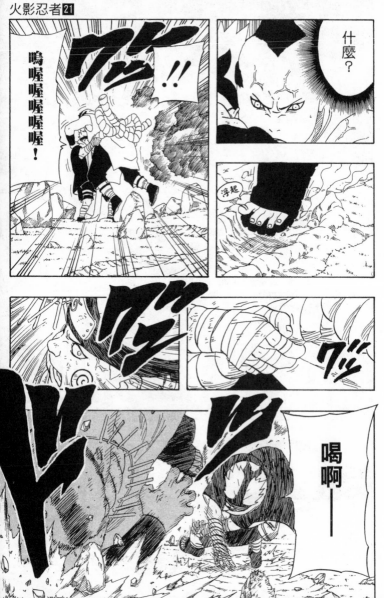

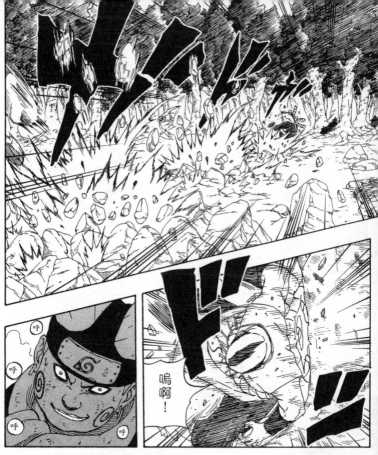

嗚啊！

呼 呼

呼 呼

可惡……
只吃法煉丸
就痛成這個
樣子……

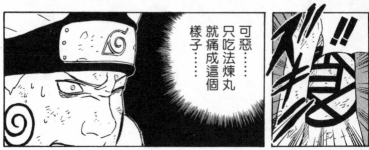

希望你只吃藍色藥丸
就能解決他……
絕對不能吃
紅色藥丸啊！

丁次……

……

赤丸……
牠說什麼
啊？

是啊……
我也是這麼想。

嗚嗚——

牠在擔心
丁次是不
是……

真的只靠
「藥丸」就
能打敗那個
怪物。

你知道赤丸能從
氣味來判斷敵人
的強弱吧……

戰鬥就是這個樣子。

那個大個子的能力還是未知數，所以只靠丁次打倒他的機率有可能是零！但是…

沒錯…冷靜的判斷目前的情況…

．．．．．．．

但如果我們不用「一對一」的方式去對付敵人，根本無法追上佐助。

我也知道每個人分散與敵人戰鬥是最糟的選擇…

沒錯…這個任務本來就不是遊戲，而是必須拚上自己的生死。

他認為自己比我們任何一個人都還要弱。

．．．．．．．

丁次是個很豪邁的傢伙，但是對自己沒自信。

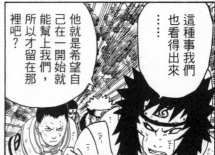

這種事我們也看得出來

．．．．．．

他就是希望自己在一開始就能幫上我們，所以才留在那裡吧？

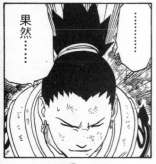

果然．．．．．．

．．．．．．

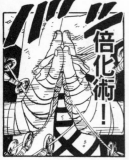

倍化術！

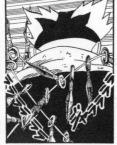

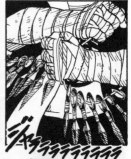

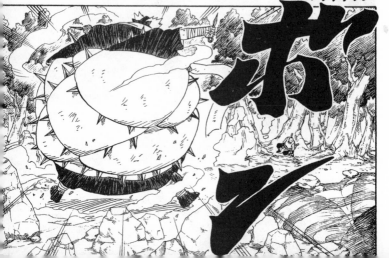

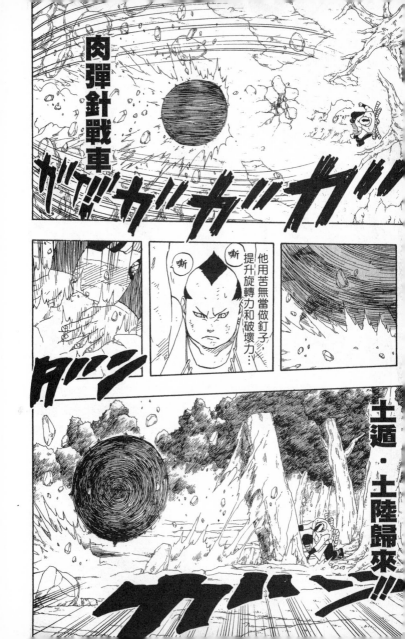

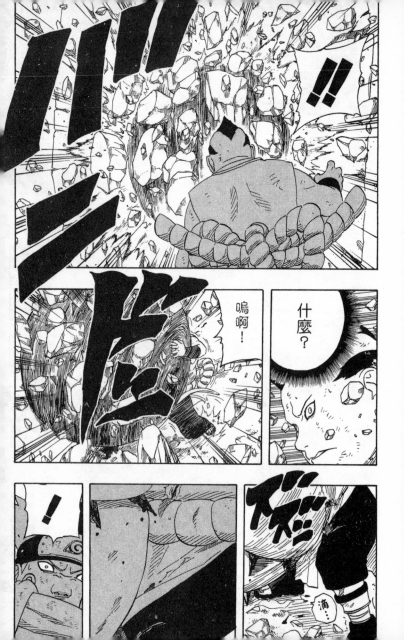

廢物……別太囂張啊！

崩掌！

哇啊！

哼……你知道嗎？

當有五個人聚集時，其中一定有一個廢物，

那個人每次都會被其他夥伴取笑，然後在碰到危機時，會立刻被夥伴們拋棄。

你就是這種人。

呼呼

....

這樣根本是個死胖…

你就是因為這樣，才會被大家取笑啦!!

丁次，你都只想到吃而已…

你就不能努力地修行嗎？鹿丸都已經成為中忍了呢。

沒錯，無論我私底下再怎麼努力…

還是…

....

真是的…這傢伙也派不上用場呢。

那為什麼不找優秀的人啊！

你不是說要找優志乃啊？

看來被我說中囉⋯

哼⋯看來木葉忍者村的人材嚴重不足呢。居然連你這種廢物都會被選為追擊隊的一員。

我和丁次搭擋很久了。所以和他最容易和我配合。

但是如果我和你交手，可能是你比較厲害，對吧？我和你交手，可能也會宣佈棄權⋯

不⋯⋯鹿丸他⋯⋯而你就是你⋯

丁次，準備好了嗎？

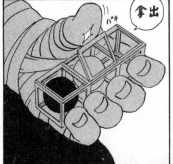

拿出

パキ

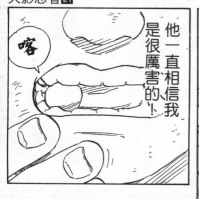

喀

他一直相信我是很厲害的！

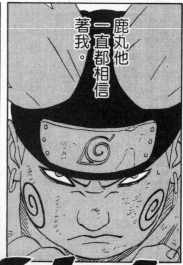

鹿丸他一直都相信著我。

！

所以他才把這個使命…

交給我一個人！

那股查克拉真強……

但還是不夠資格當主菜。

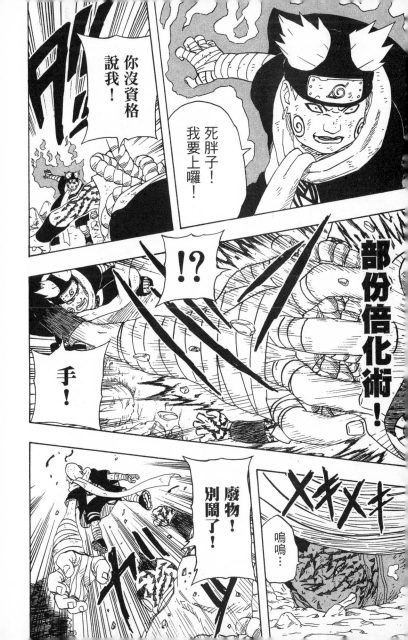

!?

果然大家都是這麼想……

……但是我知道

果然……

他比我還有寧次……甚至和我們任何一個人比起來……

都還要強上幾倍！

不會吧！

接招吧！

我相信他真的很強。

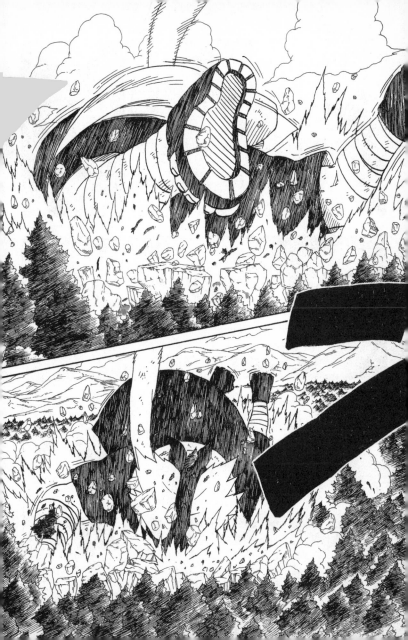

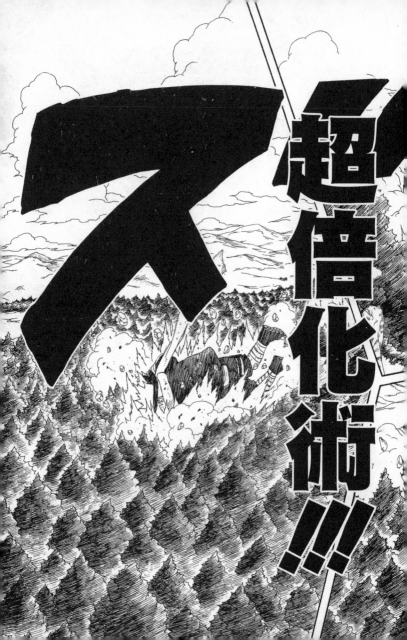

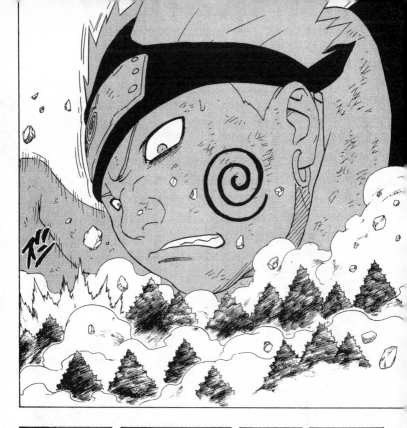

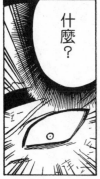

什麼？

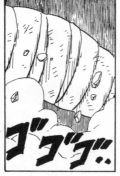

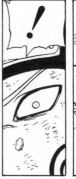

！

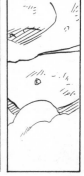

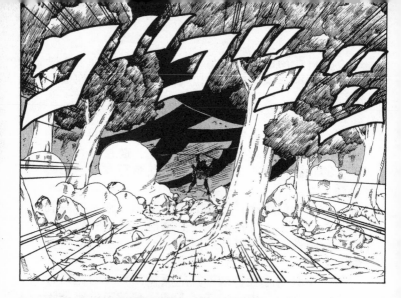

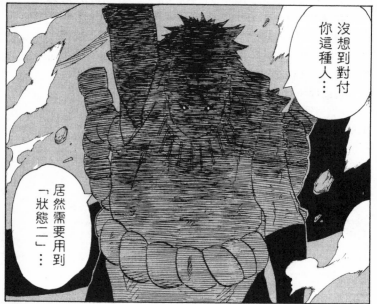

沒想到對付你這種人…

居然需要用到「狀態二」…

最近設計新角色變得很辛苦…因為設計過程不順利的關係，再這樣下去甚至可能會危及「火影忍者」的連載…為了突破這種窘境，我們決定要進行一個新企劃！

這個新企劃就是名叫「代替點子已經用盡的岸本，設計出現在火影忍者中之原創角色，並且送到編輯部」的企劃。優秀作品將會刊登在單行本的空白頁處喔！而

且我還會模仿最優秀作品的設計畫出插圖，並且刊登在單行本上！（投稿的作品獲選為最優秀作品的人，我將會複製一張我的插圖，並且加上簽名送給你喔！）

說不定設計得讓我覺得不錯的原創角色，會出現在「火影忍者」之中？到時候JUMP編輯部可能會透過電話或明信片跟你連絡喔！（到時候就請多多指教啦！）

設計稿僅限於原創的角色！

別忘了要把角色的全身畫出來喔！

所以呢…現在開始募集原創角色的設計稿！

寄件地址為

〒119-0163

　東京都神田郵便局　私書箱66号

　　集英社ＪＣ

　　　「原創角色募集」　收

※不過只能用明信片寄喔！

千萬不要寄信函來喔！

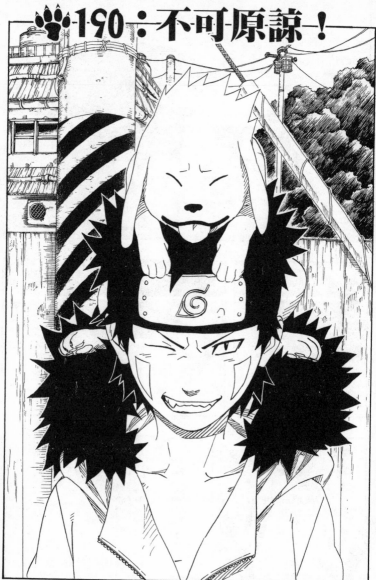

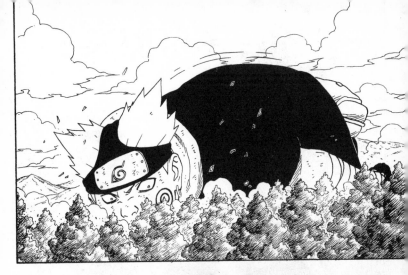

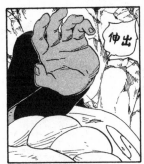

伸出

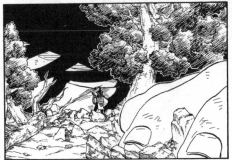

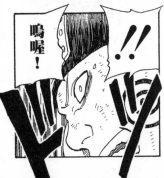

嗚喔！

！！

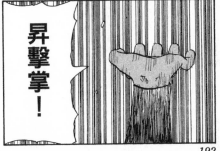

昇擊掌！

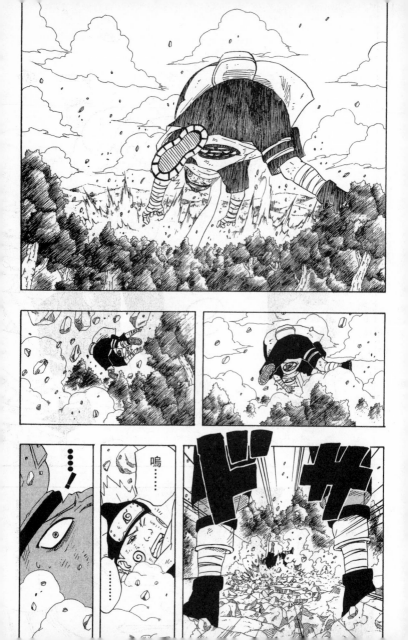

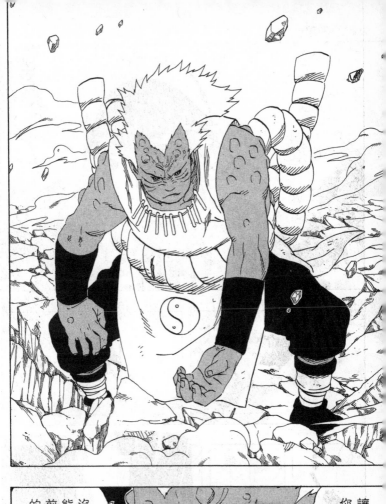

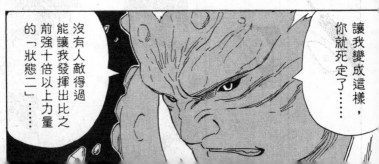

沒有人敵得過
能讓我發揮出比之
前強十倍以上力量
的「狀態二」……

讓我變成這樣，
你就死定了……

那是……
什麼啊？

……
但是變成
這種狀態
……
需要大量
的查克拉

……
可惡

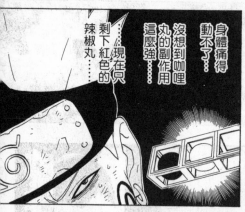

現在只
剩下紅色的
辣椒丸……

身體痛得
動不了……
沒想到咖哩
丸的副作用
這麼強……

啊嗚
……

那麼
我要開動
囉

但是……
那東西……
只要吃了
我就必死
無疑啊！

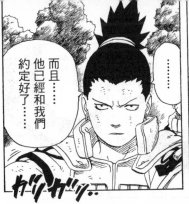
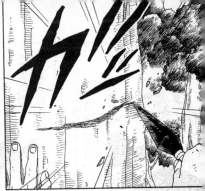

而且……他已經和我們約定好了……

……

カッ…カッ…

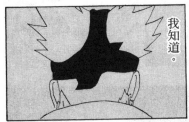

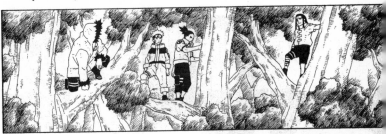

我知道。

丁次，你一定要追上來啊。

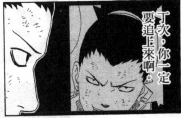

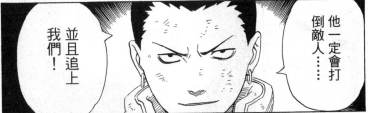

並且追上我們！

他一定會打倒敵人……

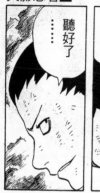

聽好了

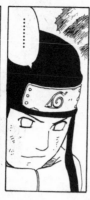

....

....

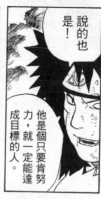

說的也是！

他是個只要肯努力，就一定能達成目標的人。

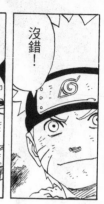

沒錯！

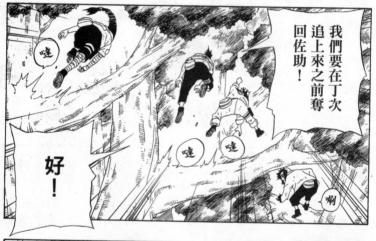

我們要在丁次追上來之前奪回佐助！

好！

噠

噠

噠

咻

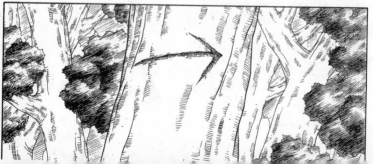

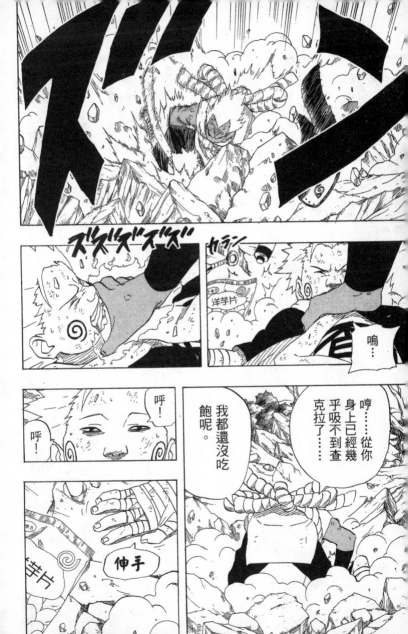

我都還沒吃飽呢。

什麼嘛只剩下最後一口啊……

廢物……你果然是被當做做炮灰犧牲的

不過……你放心吧！等我殺了你之後，我也會去吃掉那些把你丟在這裡的無情傢伙。

嗚…

去死吧……遭到夥伴排擠的可憐死胖子。

你別想來玩忍者遊戲！

為什麼？

因為你參加的那一隊一定會輸嘛！

你實在是太遲鈍了。

‥‥‥‥

‥‥‥‥

但是‥‥‥這樣人數根本不夠啊

しゅん…

‥‥‥

將棋也是因為雙方有同樣數量的棋子才有趣。

可是，沒用的棋子不就和根本不存在一樣嗎？

……

秋道一族全都是死胖子，而且很遲鈍……

大家都這麼說……

這樣啊……

丁次……

但是你是個比任何人都還要溫柔的人……

總有一天……你一定會有個注意到你這個優點的朋友。

到時候你就把那個朋友，當做你最珍惜……並且能互相信賴的夥伴。

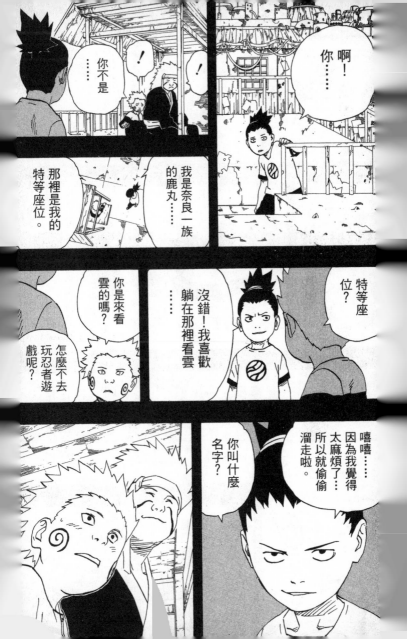

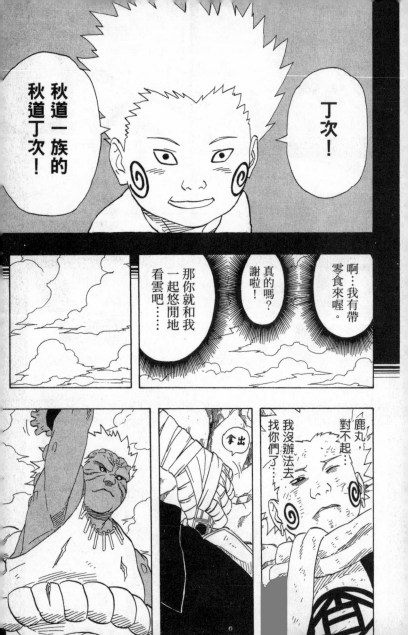

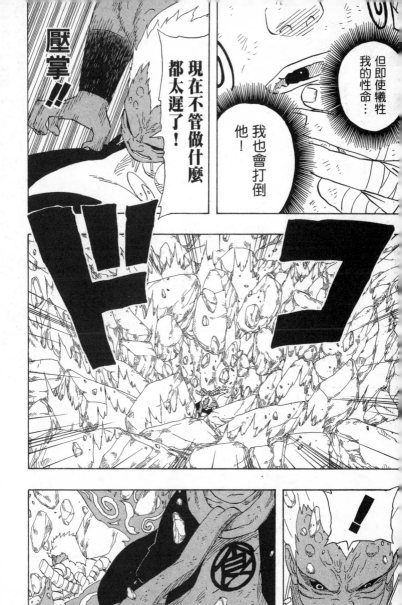

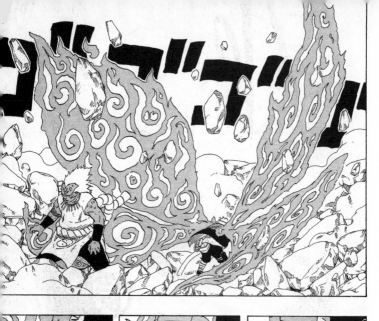

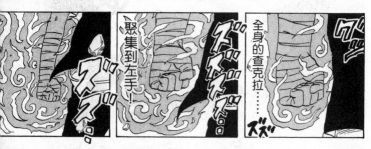

聚集到左手！

全身的查克拉……

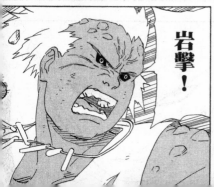

岩擊！

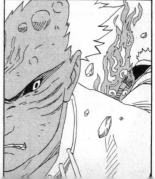

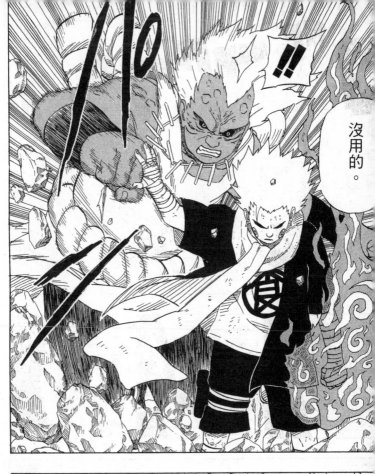

沒用的。

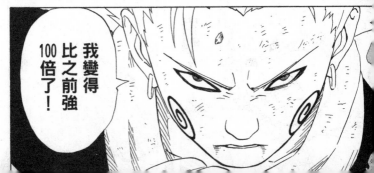

我變得比之前強100倍了！

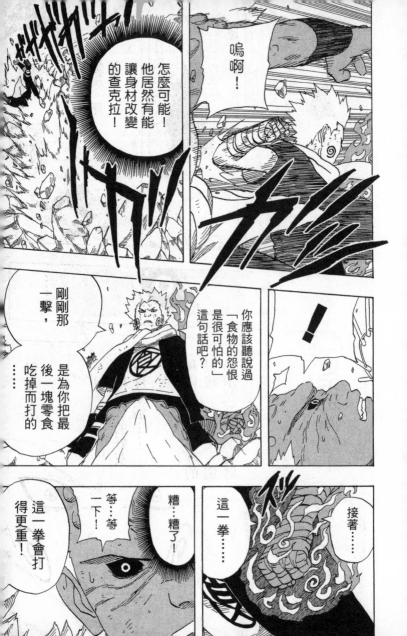

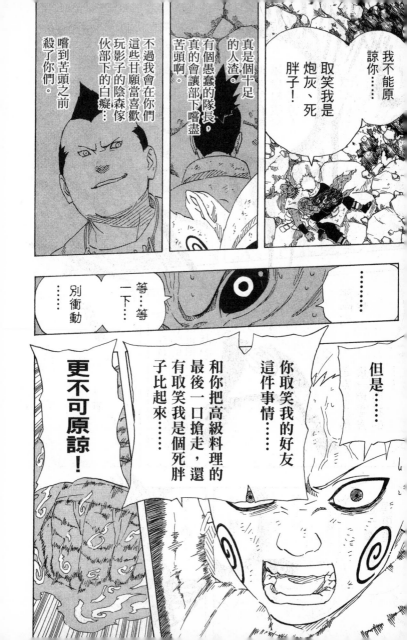

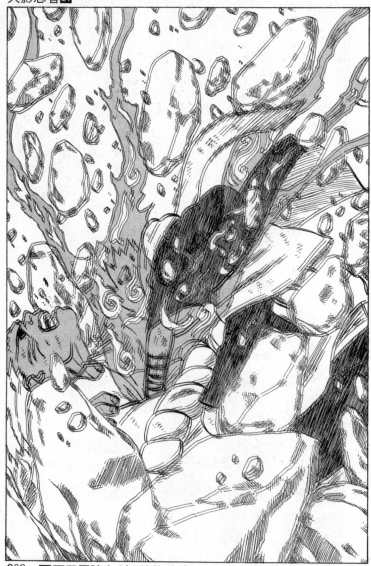

㉑不可原諒！(完)下集待續

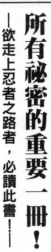

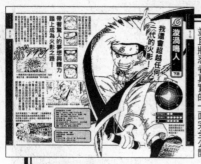
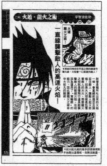
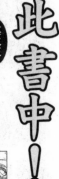
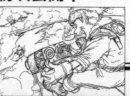

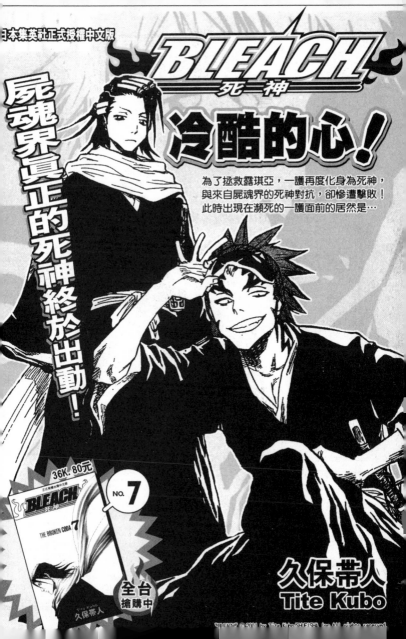

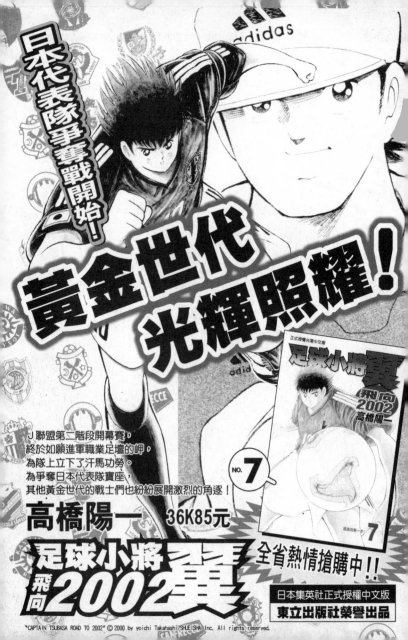

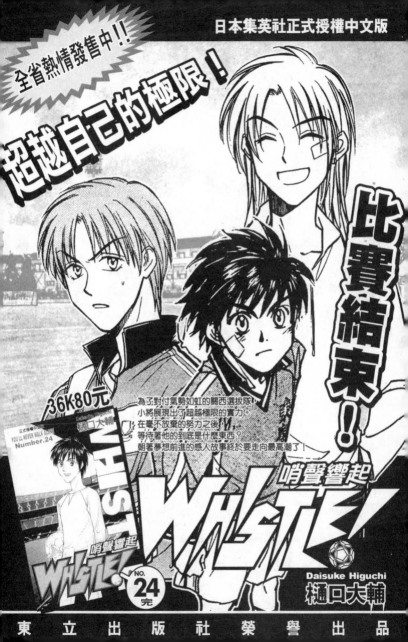

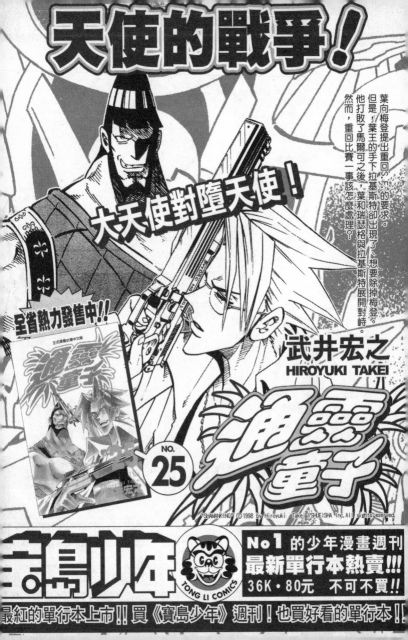

一手入魂！

為日中韓三國十八歲以下棋士所舉辦的棋賽「北斗盃」，
就在大家各自懷著不同的情緒下開幕了。
然而在歡迎會上，高傲的韓國棋士高永夏，
卻再度爆出驚人的問題發言，
使得阿光更加深對高永夏的敵意！

日、中、韓三國
年輕之獅的火熱對戰！

全省火熱搶購中！

正式授權台灣中文版

22

打劫陷末廬

棋魂

NO.22

原作 堀田由美
Yumi Hotta

漫畫 小畑健
Takeshi Obata

監修 梅澤由里香 五段
Yukari Umezawa
（日本棋院）

棋魂

寶島少年
TONG LI COMICS

No.1 的少年漫畫週刊
最新單行本熱賣!!!
36K・80元 不可不買!!

最紅的單行本上市!! 買《寶島少年》週刊! 也買好看的單行本!!

PRETTY FACE

漂亮臉蛋

新美少女主義！

超危險美少女·小望登場了！

全省華麗熱銷中！

成華高中二年級最受歡迎的女孩·小望，向瑠璃做出了危險的告白－另一方面，所有的男生也為了小望一句「我只對強的人有興趣」，紛紛向由奈（瑠璃）展開挑戰⋯⋯

叶恭弘
Yasuhiro kano

NO.**3**

36K80元

HUNTER×HUNTER 獵×人

冨樫義博

剪刀石頭布！為得到「一坪海岸線」而展開的躲避球對決進入最後階段。磊札展現高超難及的實力毫不留情地攻擊，小傑憤怒的必殺技爆發！

突破最後難關！

團結力量大！

全省熱情搶購中！

VOL. 17
三方攻防

HUNTER × HUNTER
NO. 17

宝島少年 TONG LI COMICS

No.1 的少年漫畫週刊
最新單行本熱賣!!!
36K·80元 不可不買!!

最紅的單行本上市!! 買《寶島少年》週刊！也買好看的單行本!!

揮灑青春！

置死地而後生的陣容！

ROOKIES

菜鳥總動員

全省熱情搶購中！

森田眞法
Masanori Morita

平塚是第四棒三壘手？
二子玉川面臨敗北就得被罰禁賽的危機，
偏偏安仁屋等人又陸續受傷，
已經自請閉門思過的川藤只好排出特別
先發陣容來對付目黑川……

NO.23

36K80元

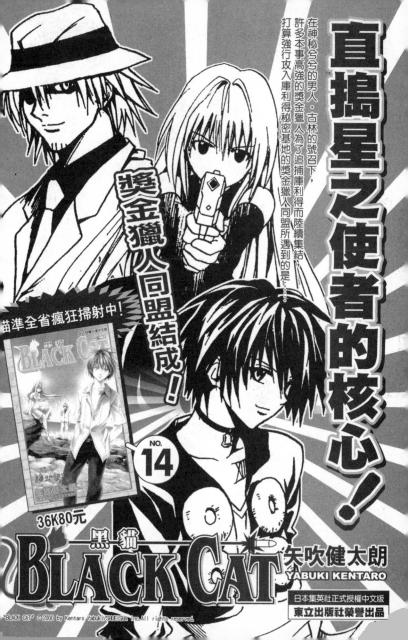

身材雖嬌小，志氣比天高！

用心傾聽馬兒的心聲！

好評熱賣中！

① ➡ ③

36K 80元

日本講談社正式授權中文版 東立出版社有限公司

穿越障礙 井上正治

橘遙步開始另一項課程訓練，就是馬廄的實習生活。這也註定了遙步與某馬匹的相遇。而遙步的夢想也因此變得更加寬闊了。但是卻發生了某件事，使得遙步……

井上正治

JUMP MAN

JC08221 C0P192

火影忍者㉑

原名：NARUTO─ナルト─㉑

___

- ■作　　者　　岸本斉史
- ■譯　　者　　方郁仁
- ■執行編輯　　陳苡平
- ■發 行 人　　范萬楠
- ■發 行 所　　東立出版社有限公司
- ■東立網址　　http://www.tongli.com.tw
  台北市承德路二段81號10樓
  ☎ (02)25587277　　FAX(02)25587281
- ■劃撥帳號　　1085042-7（東立出版社有限公司）
- ■劃撥專線　　(02)28100720
- ■印　　刷　　嘉良印刷實業股份有限公司
- ■裝　　訂　　台興印刷裝訂股份有限公司
- ■法律顧問　　曾森雄律師　　　曲麗華律師
- ■2004年4月25日第1刷發行

日本集英社正式授權台灣中文版

ISBN 986-11-3636-3　　　　　定價：NT80元